SOLEDAD
&
COMPAÑÍA

relatos

Primera Edición: Ediciones del Norte

*The intellect of man is forced to choose
perfection of the life, or of the work.*
W.B. Yeats

*You pay with pains for all the joy you give
and die with nothing but this rage to love.*
John O'Hara

*Te deben la vida y una caja de fósforos
y quieren darte una caja de fósforos,
porque no quieren deberte una caja de
fósforos.*
Antonio Porchia

contar tu sueño mientras sueñas.
Po Chu-I

Ripeness is all.
Shakespeare

INDICE

Cumpleaños   1

Mínimo encuentro   23

No se puede pensar en Puerto Rico   27

La lección   43

Objetos persistentes   81

Tres buenas amigas   85

Un pequeño hotel en San José   101

Tempus fugit   115

Funcionamiento del correo   123

El encargo   127

La puerta falsa   169

Una de suspenso   177

El enemigo   183

A la paloma de hierro

JOSÉ MIGUEL OVIEDO

SOLEDAD & COMPAÑÍA

relatos

Cumpleaños

Cumpleaños

"Go to the beach..."

Desde hace cierto tiempo, Gabriel pasa el día de su cumpleaños siempre del mismo modo: va con su hija Esther a la playa. Como su cumpleaños coincide de modo exacto con el término oficial del verano, la ocasión es perfecta: hace todavía calor pero refresca un poco más temprano, hay gente pero muchos ya prefieren quedarse en casa preparándose para el comienzo del otoño y los días de trabajo más intenso. Pero los que van, como ellos, son gente seriamente interesada en la playa que saben gozarla con un poco más de libertad, ya que no hay esas nubes de veraneantes que bajan de los autos cargados de canastas, toallas y chiquillos, que son siempre los que arruinan una tarde como la que él quiere pasar con su hija. Hacen una pareja ideal, en el sentido de que les gusta meterse al agua y salir de ella casi al mismo tiempo, y a veces ni se consultan por el momento justo para partir: apenas comienzan a sentir el azote picante de la arena que el viento levanta o ese velo bajo de neblina que atraviesa el sol como una bufanda de gasa, ya alistan sus cosas y se preparan para largarse. No verán el mar hasta el próximo año.

3

Antes, el rito incluía a Anita y funcionaba prácticamente igual. Que ahora él siga haciéndolo y que esa ausencia no lo haya afectado mayormente, es algo que no deja de intrigarlo. Gabriel piensa que si la enfermedad de Anita hubiese sido larga o notoriamente grave desde el comienzo, él habría podido prepararse mejor para la viudez. Pero todo ocurrió tan rápido, todo fue tan absurdo. El dolor era claramente del apéndice, y él no tuvo ninguna sorpresa cuando el médico se lo dijo: una clásica apendicitis. Claro, había que operar de inmediato, pero eso no era sino un tropiezo en la rutina de la vida de los dos. ¿Quién le teme a una apendicitis? Lo que no entraba en las previsiones de nadie, ni del médico, era el horrible tumor en el útero, esa oscura cosa maligna que tenía un largo nombre griego y que había casi devorado el órgano sin que ella se quejase jamás de dolor. Luego todo se convirtió en una pesadilla: el apéndice fue extirpado, pero no había forma de hacer nada con el tumor por el estado avanzado en que se encontraba. Otro médico opinió que una histerectomía era todavía posible, pero con gran riesgo y además había que esperar un poco hasta que se recuperase de la primera operación. Pero luego no hubo tiempo y Anita se consumió casi como si lo desease. Tal vez temía el dolor, que ya entonces había empezado a aparecer como unas puntadas de fuego que la hacían vomitar en la cama, mientras lloraba las lágrimas más amargas que él había visto jamás: las lágrimas por la propia muerte. A él le costaba imaginar el cáncer como una enfermedad: en ella fue como una explosión, como un estallido de podredumbre; sólo un maleficio podía producir algo así.

Siempre se preguntaba si habría decidido intentar la operación de Anita con el segundo médico, de haber habido tiempo. Con total honestidad, se contestó que no, sobre todo porque ella había abandonado ya la lucha; obligarla a pelear, a correr los riesgos de volver a la vida normal sin ser ya ella misma, era imponerle una tremenda carga que sus hombros ya no soportaban. Anita murió aullando, atravesada de agujas y repleta de anestésicos que mataban en ella todo menos el dolor, que persistía sin perdonarle un minuto; a él le daba un poco de vergüenza confesar que su propio dolor fue más grande durante esa agonía que tras la muerte, que sólo le produjo alivio.

El día era espléndido: el sol vibraba bajo un cielo decorado con unas pocas nubes blanquísimas, pero la humedad de la semana anterior había cedido bastante, lo que se sentía mejor cuando uno pasaba a la sombra. El mar estaba algo agitado, pero eso les gustaba porque podían correr olas y el agua era más limpia. ¿A quién se le ocurrió primero el rito de celebrar su cumpleaños viniendo a la playa? A Anita seguramente, aunque tal vez fue idea de los dos, o de los tres, porque a Esther le encantaba el mar. La playa los unía y era como una módica aventura, en la que siempre ocurrían cosas divertidas, o encontraban personas pintorescas, o sencillamente se relajaban y regresaban contentos, ligeramente hinchados por el sol y con la sal pegada al cuerpo, lo que era agradable cuando a veces hacía el amor con Anita antes de caer amodorrados en una breve siesta, mientras Esther oía sus discos. Esther siempre estaba escuchando música, pero felizmente sus gustos no eran estridentes: prefería, por cierto, la música moderna —esa música brillante, agitada y sin embargo perecible, como una torta hecha con paciencia para ser devorada en tres minutos y nada más—, pero como también tocaba la flauta, tenía un repertorio de música llena de trinos y finos silbidos, que a todos les gustaba. Cada uno tenía sus tareas asignadas cuando salían a la playa: Esther llevaba la radio y las cintas grabadas, las toallas y los aceites; Anita se ocupaba de los sandwiches, la fruta y los vasos de plástico; él de las bebidas, la sombrilla, las sillas chatas de aluminio para apoyar la espalda, y de poner todo eso en el auto asegurándose de que nada faltaba. En la playa, cada uno abría o desenrollaba o inflaba lo que les correspondía sin mayores tropiezos. Eran bien organizados y cada año lo hacían mejor; se habían convertido en expertos. Ahora que Anita faltaba, el equipo era aún menos complicado y los dos se daban abasto para todo porque todo era más tranquilo. Una de las cosas que le encantaban de Esther era que, en el auto, como sólo hablaba cuando tenía un motivo para hacerlo, él gozaba de largos tramos de silencio; no era como esas muchachitas que van comentando todo lo que ven y convirtiendo la realidad entera en preguntas. Las preguntas de Esther eran siempre muy concentradas en un punto, y él podía enfrentarlas sin problemas.

El cumpleaños de Anita caía en pleno invierno y era siempre una ocasión para dar una gran cena, tras la cual generalmente ellos y sus amigos bailaban y abrían botellas de champagne bastante caro y ella recibía de los invitados pequeños regalos para la cocina o el baño y a veces algo más personal. Al principio, Anita organizaba para él fiestas parecidas, aunque más íntimas, hasta que descubrió que Gabriel prefería ver a sus amigos en otras ocasiones, no precisamente en ésas. No era un problema con ellos, era un problema con él mismo, mejor dicho con su cumpleaños. El pensaba que ese día era para hacer exactamente lo que a uno le daba la gana, y lo que más le gustaba a él era la playa. Así es que Anita entendió, dejó de planear esas fiestas (no sin pesar, porque le parecía injusto que ella las tuviese y él no) y empezaron a ir a la playa, como él quería. Pronto se dieron cuenta de que era más divertido, menos exigente, una buena ocasión para respirar aire puro y hacer algo de ejercicio.

Al tercer año quedaron convencidos de que habían decidido lo correcto: los tres estaban más felices que nunca con la solución. Gabriel nunca le dijo a ella, o no llegó a explicarle bien, que la ventaja era que en las fiestas uno podía conversar y hacer bromas con los amigos, pero era difícil pensar en las cosas que los otros días no era posible pensar, o paradójicamente poner la mente en blanco y pasar horas sin hacer nada, como los animales en su corral. Su cumpleaños, pensaba él, le permitía estar consigo mismo, sin ningún propósito definido, lo que hacía más interesante la experiencia. A la gente ya no le gustaba estar consigo misma, como si temiese un encuentro desagradable. En realidad, un cumpleaños en la playa era como perder el día, una celebración negativa: un espacio entre los días comunes, como los niños tienen recreos entre química e historia universal. ¿Por qué los adultos no tenían recreos en medio de su trabajo? La tendencia parecía ser la contraria: ahora había proliferado esa cosa horrible que eran los almuerzos de negocios.

Ya se habían instalado cómodamente. Esther se ocupó de elegir un buen pedazo de arena y luego de emparejarla bien y de levantar un pequeño talud para apoyar la cabeza, antes de extender la gran toalla con sus dibujos azules y naranja. Su radio estaba funcionando; el aparato emitía una especie de latido rápido de guitarras, como un pulso febril. Gabriel acomodó la canastilla con los comestibles y abrió el conteiner de las bebidas; tomó de inmediato una limonada y le ofreció a Esther su bebida favorita: un brebaje de color rojo que ella tomaba con una cañita flexible. Tenían la ropa de baño debajo y se desvistieron haciendo equilibrio alternativamente sobre una pierna y la otra, mientras repetían el juego de siempre: él se caía sobre ella, ella lo empujaba y él quedaba preso de la boca del blue jean y no podía levantarse de inmediato, lo que ella aprovechaba para tratar de quitarse el suyo, pero él la agarraba del tobillo y le rascaba la planta del pie, lo que la hacía gritar de risa. Después de esa agitación tonta, que a veces llamaba la atención de los más curiosos, como esa muchacha tendida un poco más allá, era un placer descansar cara al sol, los ojos cubiertos por viseras verdes. Ahora era el momento en que él, acompañado por su hija, comenzaba a estar solo, a descender hacia sí mismo, o hacia algún momento preciso de su pasado que le gustaba o lo inquietaba, y esa concentración en un punto de su vida y luego en otro asociado al anterior, producía en él una modorra, un remedo de sueño que aumentaba su bienestar. Había escuchado o leído en alguna parte, que los monjes tibetanos practicaban esa especie de baño mental, que consistía en pensar rápidamente en todo, pero sin retener al final nada, creando un flujo que probaba la insensatez tanto de las cosas pequeñas como de las grandes. Su mente, que durante los otros días era como un recipiente sellado, era ahora como un desagüe. El sintió el alivio de descargar todo ese material informe, macerado a lo largo de semanas y aun meses y años. Vivía muchas vidas en su vida, lo que hacía que la verdadera fuese relativamente tolerable.

Después de haber estado un buen rato tendido de espaldas, con las piernas ligeramente abiertas, se volvió hacia el lado donde estaba su hija, bocabajo y con los ojos semidormidos, pestañeando contra el reflejo del sol. Esther le sonrió y movió en abanico los dedos de la mano a modo de saludo.

—¿Te quedaste dormido también? —le preguntó.

—No —dijo él—, me quedé pensando. Pero descansé igual.

—Voy a poner la radio.

—Yo pensaba que la tenías encendida.

—No, la música que escuchas es la de la radio de esa chica —y señaló disimuladamente hacia su derecha, a la misma muchacha que antes había mirado burlonamente la comedia de los blue jeans—. La tenía encendida antes, pero la apagué porque pensé que querías dormir.

Esther la encendió. Al parecer, ella y la muchacha tenían la radio en la misma estación: la música era ahora algo lento, con un saxofón que se quejaba con agudos de trompeta. La muchacha volvió a mirarlos por un instante, y luego siguió descansando de espaldas, los ojos cerrados; debía haberse dado un remojón, porque tenía el pelo todavía húmedo. Esther buscó otra cosa en la radio y se demoró en hallarla entre los chirridos y anuncios entrecortados, pero al fin dio con ella: un hombre aporreando un piano para decirle a la chica de sus sueños que esperase por él, que volvía a ella, porque el amor nunca acaba si es del bueno. Esther tenía casi 15 años y en los últimos meses no sólo había crecido: se había transformado casi en una jovencita, en un proyecto de la mujer que sería. Aún conservaba hábitos de niña, como el perrito peludo con ojos de botón que tras años en su cama se había convertido en algo informe y mucho más cómico de lo que fue cuando nuevo; pero ahora esos gestos infantiles eran como un teatro, una forma de representar la niñita del pasado para hacerle ver que ya no lo era. Gabriel descubrió que ella había empezado a sentir más pudor que antes; pudor cuando él, por casualidad, veía su ropa interior usada sobre la cama. El pretendía no haberla visto, pero eso no la engañaba a ella y la hacía sentir más incómoda. Su cuerpo se había redondeado; los senos apuntaban como un par de pequeñas hinchazones bajo sus blusas de algodón; en shorts exhibía unas piernas largas, exageradamente largas en verdad (los niños crecen a pedazos irregulares), de piel túrgida y suave que habían surgido de la nada, o más bien de las extremidades de estaca con rodillas huesudas llenas de cicatrices que tenía el año pasado. La había visto rebuscando entre la ropa íntima que dejó Anita, buscando texturas y oliendo perfumes ya desvaídos, o husmeando entre sus cosméticos, echándose algo en los párpados, al mismo tiempo que negaba que esas cosas le interesaban. Cuando Anita murió, lo dejó con una niña que cuidar, aunque fuese bastante responsable; ahora era su compañera, una especie de hermana menor, más ligada a él que antes. Gabriel siempre había pensado que el amor de padres a hijos permitía menos confidencias que el de los hermanos; esperaba, por eso, que en un año más estarían hablando de sus amigos hombres y de sus posibles enamorados. Y tendría que hablarle también de los riesgos del sexo y cómo protegerse, algo que Anita habría hecho mucho mejor que él. La contempló con su ropa de baño con alto escote adelante ("como las nadadoras olímpicas" había exigido ella) y el corte bajo atrás que dejaba totalmente desnuda la espalda cubierta todavía por una pelusilla infantil. Vio que se había pintado de rosado las uñas de los pies.

—Te queda bien eso —le dijo, señalándoselo.

—Incluso me pinté los meñiques, mira.

—Muy bien. ¿Y las manos?

Esther las escondió fingiendo una vergüenza que realmente no sentía: otra vez jugaba a ser la niñita.

—Mejor no te las muestro. No tuve tiempo de arreglármelas y están hechas una desgracia.

—Una señorita debe tener las uñas siempre bien arregladas.

—Sí, papi. ¿Nos metemos al agua?

—A ver quién llega primero. Te doy ventaja.

Corrieron sintiendo que la arena candente se aplastaba bajo sus pies como si fuese azúcar. Llegaron a la arena húmeda, con su fría sensación de carnosa y pelada piel de foca. Luego pisaron el agua que las olas derramaban en amplias formas circulares, chapotearon en los charcos bajos hasta encontrar fondo suficiente y casi simultáneamente se metieron de cabeza al mar. Él encontró el agua más fría que ella; nadaron juntos un rato, a lo ancho de la playa; después estuvieron mucho tiempo corriendo olas, tratando de pescar las más altas (Esther tomó mal una de ellas, sufrió un revolcón y raspones en el codo) y de llegar lo más cerca posible de la playa, varados como moluscos entre espumas. Entraron y salieron muchas veces; Gabriel empezó a sentir un poco el cansancio en los brazos. Se echaron ambos de espaldas justo en el lugar donde las olas morían y, muy quietos, viendo cómo sus cuerpos relucían embadurnados por la luz, se dejaron cubrir por el agua y trataron de resistir los remolinos y la fuerte resaca. Rodaron juntos varias veces, él la cargó mientras ella pataleaba y la tiró como un bulto cuando una ola pasaba; Esther lo persiguió pateando el agua para que le entrase a los ojos. Volvieron a la playa lentamente, hablando a gritos, chorreando gotas plateadas de un agua ligeramente pegajosa. Él consultó la hora mirando el sol allá arriba: todavía quedaba un buen trecho de la tarde como para seguir celebrando su cumpleaños.

La toalla los esperaba con su grata tibieza de esponja. Esther se acomodó bien, otra vez de espaldas, y volvió a hacerle el saludo con la mano, antes de cerrar los ojos y abandonarse por completo a la idea de descansar, quizá dormitar, ahora con la radio muy bajita tocando una música dulzona. Él prefirió agarrar una revista y hojearla; la había comprado al comienzo de la semana y no había tenido tiempo de leerla. Casi todo en ella era previsible, porque las noticias eran como el agravamiento de las crisis del número anterior: más bombardeos en Medio Oriente, el ministro secuestrado apareció muerto en un auto, Irán e Irak intercambiaban furiosos comunicados, el acusado de 17 asesinatos fue declarado legalmente irresponsable, el precio del petróleo había comenzado a bajar. Las noticias realmente nuevas eran insignificantes: las faldas inesperadamente volvían a ser cortas y los médicos habían descubierto que la sal no era tan dañina como se pensaba. Aburrido, dejó la revista a un lado y se puso a mirar a los últimos veraneantes. La actitud de la gente en la playa era curiosa: aunque estaban semidesnudos, expuestos los unos a los otros, cada grupo trataba de mantener su intimidad, eran munditos privados que querían ignorarse mutuamente y ejercitar lo más posible ese estado de libertad física, de pieles desnudas y de alimentos crudos comidos con las manos, que ahora disfrutaban. A Gabriel le parecía que la deformidad que el cuerpo humano podía alcanzar por desidia o por el simple paso de los años, era un signo inequívoco de la insensatez de Dios: los animales envejecían y morían casi intactos, sin engordar ni doblarse como quebrados por un golpe maligno; quizá era porque la complejidad de nuestro cerebro tenía un precio muy alto, que el resto del cuerpo debía pagar. Vio pasar a una pareja de edad mediana, él con unos shorts amarillos que dejaban al descubierto una barriga de tonel llena de pelos rizados; ella con un anticuado dos piezas cuya parte inferior apenas sí podía envolver un trasero caído entre los muslos como una vieja maleta llena de huecos y protuberancias. Los miró caminar lentamente, con cierta resignación, y sintió una indefinible tristeza, que atribuyó a ese vago estado melancólico del que cumple años después de los 30. La fealdad era imperdonable en las mujeres, ridícula en los hombres y terriblemente injusta en ambos casos. Entonces reparó bien en la chica que había estado todo el tiempo al lado de ellos, indiferente o echándoles cortos vistazos.

Su pelo castaño, un poco decolorado por el agua, lucía seco, pero la sal había dejado en su piel lágrimas brillantes que refulgían con la luz del sol; parecía como decorada con una pintura luminosa. La piel tenía que ser blanca, pero ahora era de un oscuro tono rojizo, como una langosta de cobre. En los hombros el pellejo se le había descascarado en pequeños círculos; eso, sumado a los ojos, que apenas abría como escondiendo la irritación que los hacía más sombríos, le daba un aire de penitente: más que alguien que había venido a divertirse, parecía haber sido expuesta al sol como un castigo. Gabriel pensó en las viejas películas inglesas de tema colonial, con sus atroces torturas de fuego y sed, de arenas movedizas y caminatas en medio de un desierto circular de pesadilla. La chica movió una pierna, como entre sueños. La curva que iba de los hombros a la parte inferior de las nalgas era impecable y más tensa por las tiras cruzadas dos veces sobre la espalda, lo que aumentaba también la sensación de piel aprisionada, marcada por ligaduras.

—¿Quieres uno de queso o de jamón? —le preguntó Esther.

—De queso —dijo él, poco atento—. Pero uno no muy grande.

Ella buscó en la canastilla, encontró el sandwich de queso envuelto en papel encerado y se lo dio. El buscó la botellita barrigona de cerveza. Esther dijo: "La cerveza apesta"; él le contestó: "Sólo para los que no la toman", y vio que ella se servía otra cola. Los dos estaban apoyados sobre un codo, enfrentándose uno al otro. Pero Gabriel no estaba mirando a Esther, sino a la chica que se había puesto de rodillas y estaba acomodando todo su lugar, especialmente la estera sobre la que había estado tendida. Eso le recordó inmediatamente que Anita siempre había querido comprar una estera, grande como para los tres, porque pensaba, con razón, que era más práctica que una toalla. Cada verano se proponía hacerlo y cada verano lo olvidaba; murió sin haberla comprado, y él se sintió triste, como si ella le hubiese negado algo. Gabriel se aferraba al recuerdo de ella gracias a pequeños detalles: un perfume en las sábanas que no se iba nunca del todo, un gesto de Beatriz que era idéntico al de ella, los cajones de la cómoda con esas bolsitas de flores secas que ella decía daban un olor especial a la ropa. Cuando una persona moría, su ausencia comunicaba un sentido a las cosas que antes eran meros objetos; debía ser una forma leve (y admisible) de necrofilia. Lo extraño era que ahora su relación conyugal —lo que quedaba de ella— parecía tener un elemento más pasional que cuando ella vivía. Hasta la enfermedad, su matrimonio no había sino ni malo ni bueno, sino sencillamente mediocre; la agonía y la crisis física lo hicieron inolvidable, o más bien, le descubrió cosas que él no había tenido tiempo de ver. Le dolía confesárselo, pero en realidad, sólo la quiso intensamente cuando ambos eran un par de jóvenes enamorados que hacían el amor como locos y a escondidas, y luego cuando sabía que la muerte iba a arrebatársela y no podía ni tocarla. Anita era tan apagada, tan inactiva, que Gabriel sentía que ella le había robado la vida, acostumbrándolo a sensaciones, expectativas y realidades promedio. El tampoco la amó bien, o la amó tardíamente, tal vez únicamente por miedo ante la idea de quedarse solo. Se desperdiciaron mutuamente, ahora se daba cuenta, ¿pero quién no lo hace?

Por eso, cuando él supo (o creyó saber) que durante una de esas fiestas que él organizaba para los cumpleaños de ella, algo había ocurrido entre Anita y uno de sus amigos, no sintió celos ni siquiera curiosidad: le pareció bien que buscase en otro hombre lo que no encontraba en él; quizá eso podía hacer de ella una mujer distinta, provocar un cambio drástico en su vida, que seguía un curso tan previsible. Si algo pasó (él pensaba que algo pasó), Anita lo enterró rápidamente en su memoria y no pareció mayormente afectada, de tal modo que él también echó el asunto al olvido. Quizá todo no había existido sino en la imaginación de Gabriel. ¿Qué prueba podía constituir el hecho de que, dos o tres veces después de su fiesta de cumpleaños, ella se comportase (así le pareció a él) de un modo ligeramente extraño, llegando del trabajo un poco más tarde, algo agitada, con respuestas confusas o demasiado explicativas, como si tejiese una trama, demorándose en el baño, cambiándose la ropa de inmediato? Ella había tenido antes períodos así, en los que hacía cosas raras sin razón aparente: largas caminatas a solas, llamadas telefónicas a horas precisas o más bien sorpresivas. No podía sospechar de todo; no podía quedarse sin un recuerdo limpio. Por otro lado, ¿qué significaba que Anita tuviese una breve aventura (si hubo una aventura) con un amigo? ¿No habría sido peor que amase realmente a ese amigo y lo hubiese abandonado por él? Anita fue fiel, y más porque tuvo la ocasión de no serlo, si es que la tuvo. Pero ahora Gabriel se preguntaba si el amigo sabía que él sabía y si lo creía demasiado cobarde como para exigirle la verdad. O tal vez el amigo pensaba que él jamás había pensado... Qué lío, qué modo de enredar las cosas. Y lo peor era que tras la muerte de Anita todavía hubo una grotesca complicación más.

Sinceramente, él no había tenido una compañera regular después de Anita, ni había estado buscando una. Pero hubo tres o cuatro ocasiones en que salió con mujeres con el objetivo preciso de acostarse con ellas, de abrazar un cuerpo humano ajeno a él y hacerle creer que estaban juntos. En el colmo de la perversión, en una de esas ocasiones había dejado de ir al cine o de encontrar un amigo, por meterse en la cama con una mujer que iba a olvidar de inmediato; hasta las películas menores podían dejarle recuerdos más vivos. Esos encuentros fugaces ocurrieron en los lugares normales: entre las compañeras de trabajo, entre las esposas de los amigos. Nunca pudo saber si eligió a la mujer del amigo sospechoso por venganza o por deseo: ella era tan dulce, tan pequeñita con sus graciosos ojos separados y su cerquillo de vietnamita. ¿Sospecharía ella que Anita y su marido...? ¿Le importaría igual que a Gabriel? ¿Menos aun? La muerte de Anita había hecho de todas estas cosas, anteriores o posteriores a su desaparición, historias inconclusas, ideas más que hechos reales, como si él los hubiese inventado para entretenerse, para poder sobrevivir la viudez.

Le pidió una manzana a Esther después de terminar su cerveza. Le dio dos o tres mordiscos, con entusiasmo decreciente. Mientras masticaba, vio que la chica primero se daba vuelta sobre sí misma y luego giraba por completo para poner la cabeza donde antes tenía los pies; seguramente quería evitar el violento reflejo del sol que empezaba a caer; ahora ella estaba dándole la espalda al mar, un brazo tapándole los ojos ardidos. Desde su posición, Gabriel podía verla mejor: entre los pechos, que el cuerpo ligeramente arqueado hacia atrás descubría un poco, la ropa de baño azul cobalto dejaba un espacio como una lágrima que se cerraba casi en la cintura. Las tiras de la espalda, de color más oscuro, corrían también por la cintura formando un lazo vistoso pero completamente inútil. El monte del pubis era abultado, sobre todo ahora que ella había colocado la otra mano sobre el vientre. La ropa la cubría con una adherencia especial, como si el cuerpo se hubiese expandido después de puesta. Gabriel lo atribuyó a los cortes altos a los lados de los muslos que dejaban ver una parte de las nalgas, como si fuese ropa interior; cuando la muchacha flexionaba la pierna, él podía notar la piel más delicada, más blanca de la ingle afeitada. Gabriel pensó que el estilo atlético que hoy dominaba en la ropa de las mujeres, las hacía lucir, aunque no quisieran, como coristas de cabaret: el baile y la gimnasia se habían vuelto acrobáticos, espectáculos públicos. Aun en su abandono, esta chica parecía estar actuando, creando un efecto. Justo en ese momento, vio que ella movía rítmicamente, pero muy despacio, las rodillas y los dedos de los pies, siguiendo la música de su radio. Sin dejar de hacerlo, abrió súbitamente los ojos y lo miró. Miró a Gabriel mirándola, y él encontró esa mirada seca y dura, como un reproche: estaba interfiriendo con su ceremonia. Entonces él se volvió hacia Esther y se dio cuenta, por la mirada como avergonzada de su hija, que ella también lo había sorprendido observando a la muchacha. ¿Serían celos? ¿O le reprochaba algo como padre? Miró a Esther y la halló tan bella como a la chica y se lo dijo con una sonrisa. Esther volvió a hacerle su saludo con la mano: parecía haber sido perdonado. Antes sólo tenía que ocuparse de Esther; ahora, además, tenía que darle cuentas. ¿Cuentas de qué? Trató de analizar su propia mirada a la chica —censurada por ambas casi simultáneamente— y no descubrió deseo o nostalgia de algo, sino simple impertinencia. A su edad, con su experiencia, todavía seguía faltándole discreción.

De pronto, vio a la chica ponerse vivamente de pie. De espaldas a él se quitó el reloj y se agachó para guardarlo en su bolso. La ropa de baño se le metió aún más en las nalgas, y ella se la arregló haciendo correr los dedos por el filo de la tela, antes de entrar saltando al agua. Sólo cuando desapareció de su vista, se dio cuenta de cuánto se había concentrado en la observación: había mucha gente alrededor que Gabriel había estado ignorando. Se distrajo examinando cuerpos y caras, como si tuviese que presentar un informe: tantas personas, tantos hombres y tantas mujeres, tales y cuales colores, en ésta u otra posición. Estaba siendo otra vez impertinente; miró a su hija, con el aire furtivo de un ladrón: Esther estaba absorta en su música y las uñas de sus pies. Hecho el recuento, descansó y puso la mente en blanco. Anita apareció en una ráfaga, desnuda, besándose furiosamente con su amigo, apoyados en la mesa de la cocina al día siguiente de la fiesta, cuando él no estaba en casa; la misma improbabilidad de la imagen la hizo desechable y la eliminó fácilmente. El tiempo pasó lenta y benéficamente mientras sentía el sol calentándolo por oleadas. En algún momento debió haberse quedado realmente dormido, porque creyó oir un sonido ligero de campanas, como de un trineo.

Lo que pasó entonces, apenas se desperezó y volvió la vista hacia el montón de ropa y la estera que la muchacha había dejado, parecía parte de un sueño: un enorme perro, la boca acezante y las orejas bamboleándole, cruzó en diagonal como si viniese del agua (tenía las patas negras de arena) y después de husmear vasos de cartón y botellas tiradas, se dirigió, como si lo hubiese estado esperando, al lugar de la chica y antes de que Gabriel pudiese hacer nada vio cómo metía el hocico en el bolso y devoraba en un instante lo que parecían unos sandwiches. Esther gritó al perro: "¡Fuera!" y él atinó a tirarle una de sus alpargatas. El objeto golpeó en un flanco del perro y lo hizo recular; el animal volvió los ojos hacia él, con el rencor infinito del hambre. Insinuó una retirada, pero luego, traidoramente, volvió a la carga, comió algo más y sacudiendo el hocico hizo volar unos papeles de una cartera. Gabriel le gritó para espantarlo, le tiró un resto de la manzana y falló. El perro ladró furioso cuando Esther lo golpeó con su propia zapatilla. El animal se retiró finalmente, saciado o asustado. Entonces Gabriel se dio cuenta, tardíamente, que los papeles eran en realidad billetes, el dinero de la chica. Se levantó a toda prisa y logró atrapar un par con el pie, pero los otros ya habían volado lejos. Corrió un poco, trató de pescar uno más y tropezó; los otros billetes, barridos por el viento, habían ido a parar al mar, tras un rompeolas. Cuando regresó lentamente hacia su sitio, el lugar de la chica parecía haber sido escenario de una pequeña batalla. Todo estaba en desorden. El trató de arreglar un poco las cosas, empezando por la billetera abierta; después guardó los anteojos ahumados de la chica, limpió de arena la radio.

—Mejor la vas a buscar, la muchacha debe estar todavía en el agua —le dijo a Esther.

—¿Por qué no vamos juntos? —dijo Esther, tímidamente.

—Porque yo me quedo aquí cuidando que el perro no venga otra vez. Apúrate, anda.

Ella emprendió la carrera. Gabriel vio una pierna de pollo a medio comer tirada sobre la toalla; el perro había quebrado el hueso de un mordiscón. La envolvió en una servilleta y la puso a un costado. Miró a su alrededor y se dio cuenta de que el incidente tenía muchos espectadores, que hacían comentarios o se reían. En realidad, la situación era cómica, pero Gabriel se imaginaba que para la chica iba a ser el triste fin de un día de descanso. Algunos veraneantes que recién se acercaban a esa área de la playa lo miraron como si fuese un vagabundo hurgando en posesiones ajenas en busca de algo. ¿Se estaba complicando demasiado en algo? A lo lejos, cerca de la zona de estacionamiento, alcanzó a ver a un policía y pensó que tal vez alguno de los que lo habían tomado por un sospechoso podía informar sobre lo que habían visto. ¿Cómo explicarle a un policía "Fue un perro el que abrió la cartera y se robó el dinero. Yo me quedé aquí cuidando. No, no conozco a la propietaria"? La misma idea —*un perro que se robó el dinero*— sonaba terriblemente falsa. Por si acaso desdobló los dos billetes que tenía en la mano y los abrió, exhibiéndolos como una prueba de su inocencia. En un mundo de sospechosos como el de esta ciudad, el culpable podía ser cualquiera y, precisamente, el más inconspicuo. Dudó entre cerrar o no el bolso; vio el reloj adentro, semienvuelto en una prenda de seda, y decidió no tocar nada. Se quedó quieto, al lado de las cosas de la muchacha, la mirada ausente, como si quisiese ignorar lo que había ocurrido. Tuvo otra nítida visión del rostro de Anita, trabajosamente empeñada en la boca de su amigo, humedeciéndole los finos bigotes; también entonces se había quedado quieto, satisfecho de sospechar, temeroso de saber.

Las dos esbeltas figuras de Esther y la muchacha aparecieron juntas, húmedas, corriendo en dirección a él. Gabriel se levantó aliviado: ahora todo se arreglaría. La muchacha tenía una mirada ansiosa, que los ojos ya hervidos por el sol hacían más tenaz. Confusa, se echó el pelo hacia atrás y se tiró de rodillas sobre la estera. Parecía una gitana rodeada por sus hatos de ropa y víveres deshechos.

—Oh, Dios —dijo—. ¡Qué desastre! ¿De quién es el perro? Hablaba con indignación, buscando un culpable.

—Era un perro callejero, no tenía collar ni nada —dijo Gabriel—. No pudimos evitarlo: cuando nos dimos cuenta ya había hecho gran parte del daño.

—Gracias, muchas gracias, señor —dijo la chica y por primera vez lo miró a los ojos humanamente, movida por la gratitud y por algo que seguramente no conocía: la solidaridad de un extraño. Encontró con alegría su reloj, pero siguió buscando algo más.

—¿Qué le falta? —le preguntó Gabriel.

—No encuentro las llaves del auto —dijo la chica—. Estaban aquí, estoy segura.

—Quizá se cayeron en la arena —dijo Gabriel.

—Mierda —masculló la chica, frustrada por la búsqueda, pero de inmediato se disculpó mirando a Esther—. Perdone, perdónenme ustedes; estoy tan furiosa.

Esther estaba en cuatro patas, tanteando metódicamente la arena alrededor de la estera, usando los dedos como rastrillo. La chica la imitó, y él vio los bordes blancos de sus pechos ahora semidescubiertos; tenían la exacta redondez de medias toronjas. Veía también como subían y bajaban con la respiración agitada, los pezones transparentándose bajo la tela húmeda como manchas rugosas y puntiagudas.

—¡Aquí están! —gritó triunfalmente Esther, sacudiendo un pequeño llavero con una insignia azul de Ford.

—¡Oh, qué suerte! —dijo la muchacha y besó las llaves con una alegría infantil que hizo sonreír a Gabriel y Esther.

—Esto es todo lo que pude salvar de su dinero —dijo Gabriel mostrándole los billetes.

—¿Mi dinero? ¿También se llevó mi dinero? —dijo con una mueca de incredulidad que descompuso la cara que (ahora él la veía bien) tenía una fina osatura dominada por una nariz afilada como el espinazo de un pájaro.

Gabriel miró a Esther: ¿no le había dicho eso a la muchacha cuando la encontró? Esther puso una cara de total inocencia: suponía que su padre seguía siendo el encargado de los asuntos graves, de dar las malas noticias. La chica volvió a caer de rodillas, derrotada. Los ojos enrojecidos expulsaron una humedad tristona y escasa, como una secreción enferma; sus manos empezaron maquinalmente a enrollar una toalla, pero luego la arrojó con cólera sobre la arena, igual que el técnico de un boxeador ya muy golpeado.

—Mire —dijo Gabriel, en un tono muy calmado—, ya sé que es molesto lo que ha pasado, pero por ahora no se preocupe más. Yo le puedo prestar lo que necesite.

La muchacha no pareció haberlo escuchado, porque dijo:

—Oh, Dios, ¿qué voy a hacer ahora? Apenas tengo gasolina en el tanque y vivo muy lejos —resopló por la nariz con fuerza y agregó: —Maldito perro.

—Como le digo —repitió Gabriel—, olvídese ahora del dinero y del perro. Vaya a casa. Dígame lo que necesita.

—Oh, no, señor. Yo no puedo aceptar eso.

—No se lo estoy regalando. Se lo estoy prestando.

—Yo no los conozco a ustedes... No sé dónde...

El le extendió la mano y dijo su nombre; ella dijo el suyo.

—Esta es mi hija Esther —agregó Gabriel.

—Hola, Esther —dijo la muchacha—. Gracias, han sido ustedes muy buenos. Pero el dinero...

—Déjese de tonterías —dijo él, con amigable impaciencia—. Tome esto, creo que le alcanzará para llegar a un grifo y luego a casa. Más bien, ponga sus cosas en orden y vea que no deja nada olvidado.

Le dio unos billetes doblados en el puño vuelto hacia abajo, como si le estuviese pasando un paquete de droga: no quería ofenderla ni llamar la atención. Pensó que Anita tenía razón de molestarse (a él le había parecido entonces un escrúpulo tonto) cuando él intentaba darle dinero en plena calle: "Van a creer que soy una puta". Una puta muy improbable, se decía él, con esos severos trajes grises y sus púdicos escotes. Tal vez la pobre fantaseaba; tal vez debajo, no *en* su cuerpo, sino *debajo* de su cuerpo, había una mujer ardiente, capaz de enloquecer a un hombre.

—Gracias, señor —dijo la muchacha que, de pronto, lucía más joven: no esa sirena dura y experimentada que se asoleaba indiferente un rato antes, sino una chiquilla con un padre como él en alguna parte, esperándola. ¿Veinte, veintidós años? Creyó ver en uno de sus dedos un anillo de compromiso. ¿O era de matrimonio? No, porque entonces habría estado con su marido. ¿Viuda entonces? Gabriel se sonrió consigo mismo, pero también de las costumbres sociales que imponían marcos para distinguir las parejas de los solteros. Se le ocurrió que sería una buena idea que los viudos llevasen un cartel, bastante grande, colgado del pecho, como los ciegos, en el que pudiese leerse esa palabra que los colocaba entre los dos grandes reinos, en una zona indeterminada pero esperanzada, como los niños en el limbo.

—Tampoco tengo papel ni lápiz para apuntar su dirección —le dijo la muchacha con un gesto de contrariedad que ya se convertía en uno de broma—: ¿Tiene usted?

—Un momentito —dijo él y fue rápidamente a buscar su propio bolso. Encontró la libretita azul de filos dorados y el lápiz en su anillo de plástico al lado. Siempre la llevaba a todas partes, para asombro de Anita. "Si acaso nos perdemos en tierras de infieles, al menos podemos dejar un mensaje", le decía él haciéndola reír. Apuntó con claridad su nombre, teléfono y dirección, arrancó la paginita y se la dio a la muchacha.

—Gracias, señor —dijo otra vez ella—. Mañana temprano paso a dejarle el dinero.

—No hay ningún apuro. Pase cuando pueda.

—¿Siempre hay alguien en casa?

—Casi siempre. Mejor llame por teléfono antes para no hacer un viaje en vano.

—Uf, no sé que habría hecho sin su ayuda. Qué fastidio, qué desastre todo.

—Vuelva tranquila a casa ahora. Y no se olvide de la gasolina.

—Oh, no, de ningún modo —dijo, mientras empezaba a

ponerse unos shorts de color militar y una camiseta de algodón a rayas. Hizo un rápido recuento de sus cosas. Se agachó una vez más (él vio que las nalgas húmedas habían dejado en los shorts dos manchas del tamaño de una pelota de tenis) y rescató del fondo del bolso un simpático gorrito rojo que tenía la leyenda "BAHAMAS: YOUR PLACE IN THE SUN" atravesada por unas palmeras. Le sonrió calmada pero distante: todos sus planes debían haberse ido al diablo. El sol estaba ya sesgado, levantando escamas de luz en el mar que sonaba con fuerza. El viento arrastraba en remolinos los desperdicios de la gente. Se despidieron. Él la vio marchar sin mucha gracia, cansada, pateando la arena.

Cuando estaban en el auto, ya de regreso, Esther mantuvo uno de sus largos y pensativos silencios, hasta que por fin le dijo:

—Papi, ¿sabes una cosa?

—¿Qué cosa?

—Esa chica no va a ir a la casa a devolverte el dinero. Ni siquiera va a llamarte por teléfono.

—¿Por qué?

Los ojos de Esther brillaron entonces con el odioso desdén de una persona ya adulta:

—Porque tiene cara de vagabunda —dijo; y agregó: —Como el perro.

Él le dijo, sin mayor convicción, que se equivocaba y que era mejor esperar que la gente obrase de buena fe. Además, qué importaba: la suma era tan pequeña. Pero también pensó que ya se había olvidado del nombre de la muchacha y de pedirle su propia dirección.

Esther no se equivocó, pero él no pensó realmente en ello sino un año después. Era otra vez su cumpleaños y estaban en la playa, como de costumbre, aproximadamente a la misma hora y en el mismo lugar, Esther ya convertida en una atractiva jovencita con labios cuidadosamente pintados y párpados con sombra, él nuevamente resignado a su revista aparentemente tan llena de noticias —en Londres, dos jumbo-jets habían chocado en el aire y el número de muertos era un record, el Papa recorría triunfalmente Tailandia— y en realidad tan vacía como sus recuerdos. De pronto, se dieron cuenta (Esther un instante antes que él) que la muchacha con grandes anteojos de bordes plateados y con el sostén del bikini suelto en la espalda mientras leía bocabajo un *best-seller* barato —la carátula tenía una mascarilla diabólica y el título CAVEAT EMPTOR en letras góticas—, acompañada por un hombre que parecía no tener un solo pelo en el cuerpo bulboso de levantador de pesas, era la misma muchacha del año pasado, la del incidente con el perro. Por un momento, ella se quitó los anteojos para darse un respiro de la lectura; la mirada de Gabriel y la de ella se cruzaron (él había borrado toda expresión de su propia cara, como si fuese a tomarse una foto de pasaporte), y los ojos siempre afiebrados de la chica lo miraron exactamente con el reproche y la dureza de la primera vez. No lo reconoció en absoluto.

La voz de Esther sonó particularmente feliz:

—Te lo dije, papi —y le hizo el gracioso saludo con los dedos de la mano antes de echarse otra vez a reposar junto a la radio, en la que una voz femenina se quejaba del corazón duro de un muchacho de grandes ojos bondadosos.

Gabriel abandonó su revista y trató de descansar él también, recordando tantos días secretamente felices que Anita le había dado sin exigir nada a cambio.

Mínimo encuentro

Mínimo encuentro

Al entrar al ascensor del edificio al que fui para visitar
brevemente a una persona y al que, estoy seguro, jamás
volveré, encuentro a un niño pequeño y a la que debe ser su
abuela, una viejecita casi sin dientes pero simpática con su
roja cara llena de arrugas, como una manzana deshidratada,
los ojillos vivos y todavía claros. Ignoro qué piso marcar para
regresar a la zona de estacionamiento de este inmenso col-
menar recorrido por galerías de departamentos todos iguales
y que confluyen en forma de Y frente a los ascensores; el niño
me ayuda, dice unas palabras y la abuela otras. El leve cantito,
arrastrado y de labios apretados, me confirma que son
mexicanos. Ambos me observan y la viejecita me pregunta:

—¿De dónde es usted, señor?

—Del Perú, señora —contesto.

—Ay, Virgen María Santísima, alabado sea Dios —ex-
clama la viejecita.

Sonrío y salgo: el diálogo acaba allí. Pero me quedo pre-
guntando: ¿qué significa esa exclamación? ¿Es una manifestación de simpatía porque reconoce a un hispanoame-

ricano? ¿O de ingenua sorpresa, sencillamente porque no lo esperaba? ¿O de total extrañeza, tal vez porque no sabe dónde está ese país, o no puede imaginárselo, o le resulta un lugar fantástico? ¿O invocando a Dios conjura algo que yo no logro ver? En cualquier caso, me parece imposible que una simple información como la mía produzca un comentario como ése en ningún otro contexto cultural: por boca de la viejecita habla la sangre, una historia común que ella ignora, un destino de desplazados que debe haber sufrido de manera muy aguda. Es una marca de origen y de espontánea comunidad espiritual, que para ella no existe sin la mención de Dios y los santos. No se necesita ser creyente, para saber que esa unidad, aun amenazada y deformada por presiones superiores a ella, se mantendrá y que esa exclamación funciona y sobrevive únicamente en un circuito de comunicación secreta, como el de los cristianos en la época de las catacumbas. No importa que ahora me parezca haber soñado la frase y haberla impuesto sobre algo que ocurrió en la realidad: esa voz indeleble de la viejecita existe y ella sabe quién soy.

No se puede pensar en
Puerto Rico

No se puede pensar en Puerto Rico

Para Rosario Ferré y Luis Rafael Sánchez

Esta sencilla frase tiene por lo menos tres distintos sentidos.

Primero, la frase significa que la actividad de pensar es imposible in Puerto Rico. Hay buenas razones para entender la frase de este modo. Como todo el mundo sabe, en Puerto Rico hace un calor muy intenso, prácticamente el año entero, lo que se agrava por el estilo de vida de la isla, frenético y extrovertido, parecido a un grito constante. Todo se hace en voz alta, todo se hace como ante el público. El calor es teatral en Puerto Rico. Tiene también una calidad ecuménica: al despertar, ya está metido en los ojos de uno, como un punzón filoso y reluciente, pegoteado con el sudor que parece emanar de todas partes, de las paredes, del aire, hasta de los mismos refrescos a los que hay que recurrir constantemente para no acezar como un caballo. Al mediodía, el sol es como plomo derretido sobre la cabeza. A las dos de la tarde (pocos caminan a esa hora en Puerto Rico, sólo turistas y suicidas), pega en la espalda como la llamarada de una bomba de fósforo. En la noche el sol naturalmente no está, pero ha

dejado por donde uno vaya un olor a podrido, un vaho gené-
sico, un ruido adormecedor de insectos y lianas y telarañas y
teléfonos que llaman en vano al número equivocado. En las
playas la gente se baña en un mar que parece de aceite, tibio y
domesticado por la presión implacable del sol. Ese bello mar
ha sido por cierto muchas veces cantado por poetas extran-
jeros y del país (es imposible no hacerlo y nadie lo prohíbe, lo
que enriquece la tradición), pero nadie ha podido cantar sus
olas, simplemente porque no existen, salvo cuando hay
ciclones, lo que no cuenta. Las olas del mar de Puerto Rico
son pequeñas dunas en el lomo lustroso del agua, que apenas
tienen fuerza para imitar el verdadero movimiento del
verdadero mar, el que se ve en otras partes; el de Puerto Rico
es más perezoso, más inactivo que un lago. Es posible entrar
en sus aguas y permanecer allí toda la tarde, dictar una conferencia o resolver un problema de negocios con los accio-
nistas; algunos matrimonios se han deshecho mientras la
pareja estaba en el mar.

En realidad, la temperatura del océano es más alta que la
del cuerpo de un niño dormido; de vez en cuando los bañis-
tas salen del agua para refrescarse, o tal vez para hervir un
poco más lentamente sobre la arena. En Puerto Rico hace
más calor por centímetro cuadrado (de piel o de territorio, lo
mismo da) que en cualquier parte del mundo a esa hora o a
cualquier otra. No hay mayores esperanzas de alivio; los
"inviernos" se cuentan por generaciones, y hay algunas que
todavía no han visto uno, lo que las hace un poco más exas-
peradas que las precedentes, que ya se resignaron. Aunque
parezca increíble, una historia como ésta ocurrió en realidad: un hombre, nativo de la isla pero evidentemente agobiado por el calor más allá de la resistencia nacional, decide
dedicar su vida al estudio de los efectos del clima brutal sobre
el cuerpo y el espíritu de las gentes del país, y sus conse-
cuencias en el plano económico y político. Naturalmente, la
primera obligación del investigador consiste en proteger su
propio cerebro del calor antes de que éste se destruya por
completo. El recurso de abandonar el país en busca de climas
más fríos (el sueño imposible es algún país escandinavo,

donde el verano dure tan poco que hay que levantarse temprano para no perderlo), desgraciadamente no es factible, porque se trata de una investigación de campo: no se puede hablar seriamente del calor si uno no está sufriendo en carne propia sus efectos. El investigador encuentra una solución: la de trabajar en la isla, pero usando un ambiente totalmente refrigerado, como una carnicería, una heladería, la morgue. Explicando con alguna dificultad la importancia de sus planes, el investigador logra el uso libre de uno de esos locales. El trabajo marcha al comienzo espléndidamente: el hombre trabaja largas horas frente a su máquina de escribir, acumulando fichas en un archivo, o usando una pequeña calculadora para comparar estadísticas. Las primeras etapas de la investigación parecen indicar algo increíble: la mitad de los ingresos nacionales se gasta en combatir (sin éxito, por lo demás) el calor, en hablar del calor, en negar el calor. A lo largo de su historia, la isla ha sido víctima de poderosas maffias que han traficado con las pasiones nacionales, avivadas por el calor, y han amasado fortunas explotando (es decir, asfixiando) a las clases menos favorecidas, más expuestas a los nocivos efectos del sol. La vida familiar está profundamente afectada por el fenómeno, pues no sólo tiende a destruir la unidad doméstica —base de las relaciones humanas en la isla—, sino que influye en la *performance* sexual de las parejas: hacer el amor en Puerto Rico cuesta tres veces más esfuerzo y brinda una vez y media menos placer (en los casos en que no hay perversión comprobada) que en otros lugares. Pero lo peor es que la cultura es también una víctima de la insolación general: nadie ha escrito una obra filosófica, o ha dedicado su vida al pensamiento puro; los que más se aproximan, logran producir apenas aforismos pedagógicos o consejos de salubridad. Las novelas existen pero no son favorecidas por el público y no ha habido jamás auspicio estatal para la redacción de novelas extensas, ni existe documentación probada de que los lectores hayan terminado ninguna novela de más de 200 páginas. (La novela *Terra nostra*, de Carlos Fuentes, no forma parte de esa reveladora estadística: su importación fue oportunamente prohibida por las autoridades que temían que su lectura pudiese aumentar la desocupación, ya considerable.) Los géneros más favorecidos son los géneros breves, sobre todo el soneto y el cuento (los que caben en una página de suplemento dominical, con foto, son los preferidos), y también los proverbios, las máximas y las fábulas, que son sobre todo cultivados por mujeres, cuyo "toque" peculiar los hace más sutiles, más frescos. El autor favorito de la isla es Augusto Monterroso, cuyos breves libros son textos obligatorios en los colegios. Habiendo acumulado datos tan preciosos como éstos, el investigador de nuestra historia, llevado por su vanidad, comete un error fatal: decide que lo importante no es sólo publicar sus hallazgos, sino dotar a la cultura portorriqueña de la obra maestra que le falta. Concibe el proyecto de escribir un monumental *Tratado de la razón idealista del portorriqueño*. Es el comienzo de su tragedia: un día, un joven obrero (hoy su nombre es un santo y seña de los movimientos de cultura rebelde en la isla) descubre los primeros capítulos de la obra abandonados sobre la mesa de trabajo del desafortunado investigador; los lee con horror, quizá con una ola de calor patriótico incendiándole el pecho. Armado con un pico de montañista, se oculta tras unas cajas almacenadas en el mismo lugar de trabajo de su futura víctima. Espera su vuelta, lo deja encender la luz, ve el reflejo de lo que el hombre lee en los espejuelos con armazón de metal; no lo soporta más: dando un espantoso grito, salta sobre él y le asesta repetidos golpes con el pico, hasta que queda inerte, en medio de un charco de sangre. El asesino (el vengador) escapa; nadie descubre el crimen sino una semana después. El cadáver está perfectamente conservado gracias a la refrigeración del lugar. La policía investiga el crimen y declara oficialmente que se trata de un caso de legítima defensa. El joven obrero es calurosamente saludado por el pueblo tras su absolución. Ese día el sol parece brillar con una rara intensidad, pero la gente respira tranquila.

La frase tiene también un segundo sentido, claramente político: no se puede pensar en Puerto Rico como un país mientras sea una colonia. El status presente de la isla es como una máscara: la nación real está detrás de ella, aplastada por la presión del disfraz, escamoteada al ojo de los menos perspicaces. Pero la máscara se venga de los que la usan para sus fines: pese al masivo esfuerzo de los Estados Unidos para convertir toda la vida de la isla en dependiente de la voluntad de la metrópoli, la colonia sólo está en la costra, en una delgada superficie que no se sostiene por sí misma; la cara se ríe de la máscara y convierte su distorsión en una reivindicación. Los portorriqueños se mueven impertérritos en sus actividades de cada día sobre esa lámina maquillada, donde se comportan como si realmente quisieran aprender a ser norteamericanos y gustasen sus productos y tuviesen sus mismos modales; pero luego, apenas llegan a casa, o se encuentran con un amigo local, o están solos y empiezan a actuar por su cuenta, como si no fuesen observados o debiesen aprobar un examen, surge en ellos esa cosa tan bella que se designa con la fea palabra *portorriqueñidad.* Como legalmente el país no existe, como no puede pensarse en él, se *inventa:* Puerto Rico es una obra de arte colectiva y anónima. Se trata de una masiva forma de sabotaje; cada portorriqueño convertido en un agente subversivo, sencillamente se niega a comportarse en el sentido que se espera de él. Las cintas de transmisión se atascan, las autopistas se embotellan durante días enteros, los sistemas de computación se descompaginan y por todas partes sale volando un aire de libertad, de franco desorden y de absoluta y sonriente irresponsabilidad que es lo que los portorriqueños llaman graciosamente *revolú* y un alemán llamaría, sin poder evitarlo, *Weltanschaaung.* Primero, el sistema colonial quisiera que ellos hablasen inglés, o por lo menos pensasen en inglés, pero los nativos responden hablando un enjundioso español, o lo que es más artero, hablando en inglés como si estuviesen hablando español, con lo cual todo se va al diablo. Hay, además, una cuestión de velocidad, de ritmo que la lengua inglesa no puede soportar, y que los usuarios tratan de inyectar en sus estructuras a toda fuerza, con el resultado de que éstas quedan descoyuntadas, arrasadas, saqueadas por el ímpetu nativo. La batalla por el español como lengua nacional no sólo no está perdida en Puerto Rico: la lengua que verdaderamente está en problemas es el inglés, que ahora empieza a ser hablado por los propios agentes de la colonia como si un disco de 33 rpm estuviese siendo tocado a 45 rpm. No es infrecuente que algunos americanos regresen a su país con graves síntomas de afasia, o con el vocabulario drásticamente reducido, lo que se nota aun en Ohio o Arkansas. El espíritu colonial de la metrópoli quisiera abrazar (y luego asfixiar) a la isla en una estrecha y densa red de códigos de dependencia, rígidas formas de vasallaje y minuciosos circuitos de comunicación regulada. Nada funciona así en Puerto Rico, y eso salva a la isla de ser lo que quieren que sea los interesados en destruirla. La experiencia ha demostrado que los materiales industriales y los productos manufacturados no se comportan lo mismo aquí que allá: en Puerto Rico el indestructible aluminio se pudre igual que una cáscara de plátano, crecen líquenes entre los circuitos electrónicos, los aparatos de precisión se vuelven erráticos y las luces de peligro que miden la presión de gases volátiles se decoloran. El público tiende a confiar más en datos casuales, su propio olfato y a veces los consejos de las adivinadoras. El calor conspira también en favor de los orgullosos portorriqueños, lo que demuestra el craso error del investigador asesinado: las cosas se presentan siempre rodeadas de un vaho, como objetos de un espejismo, y algunas, dejadas a la intemperie, están demasiado candentes como para tocarlas, lo que contribuye a la sensación de que pueden ser ilusorias. Ecológicamente, la batalla por el dominio colonial está condenada al fracaso. La siguiente historia ha sido negada por influyentes agentes coloniales, pero es estrictamente cierta: antes que las guerrillas se pusiesen de moda como método de lucha política, los portorriqueños intentaron una acción cuyo ingenio sólo es superado por la audacia de su realización. Un grupo de muchachos que lucían como vagos en un barrio popular pero que en realidad eran militantes de una organización clandestina, se propusieron (y

lograron) la destrucción de la más grande cadena de supermercados de la isla, naturalmente de propiedad norteame-
ricana y por lo tanto odiada por el pueblo a pesar de sus
precios bajos y sus frecuentes campañas de cupones "Compre
dos-Pague uno". El plan subversivo era novedoso e impecable porque no suponía ni el robo disimulado de mercan-
cías, ni la expropiación de las cajas registradoras, que ya
había sido intentado antes por aficionados sin mística.
había sido intentado antes por aficionados sin mística. Consistía sencillamente en sacar los productos del lugar que les
correspondía y ponerlos en otro. Así, la salsa de tomate, por
ejemplo, podía aparecer en el anaquel que anunciaba "De-
tergentes". Al principio, claro, la acción era demasiado
pequeña y limitada para causar algo más que molestias a los
compradores y más trabajo a los empleados que debían
reacomodar las cosas en el lugar debido antes de abrir las
puertas. Pero luego las acciones se hicieron más sistemáticas y
más audaces: secciones enteras fueron trasladadas de un
lugar a otro, y así todas las legumbres frescas fueron un día
a parar a las cámaras refrigeradas de los helados, y éstos se
derritieron en la sección "Utiles de oficina". Miles de compradores empezaron a protestar, la gerencia estaba atestada
de quejas, muchos renunciaron a consumir ciertos productos que antes les habían parecido indispensables. Un fin de
semana (la fecha es secretamente recordada por todos) hubo
serios disturbios cuando la gente no logró encontrar el arroz
escondido entre los frascos de shampoo. La falta de pimien-
ta (estaba en la sección de licores) ya llevó el espíritu de revuelta a la acción y hubo quienes tiraron piedras a los vidrios
de uno de los supermercados en los suburbios. Pero fueron,
como siempre, las mujeres quienes decidieron organizar la
primera gran manifestación callejera, cuando se negaron a
aceptar que los ajos estuvieran entre los productos de higiene
femenina. Si la calle hervía, dentro de los supermercados
de la cadena la situación no podía ser peor. La gente ya no iba
a comprar: iba a hacerse oír; ciertos corredores estaban cerrados porque en ellos se celebraban continuas asambleas
y se recogían firmas para seguir manteniendo la presión so-

bre la empresa. Los que aún se esforzaban por comprar pacíficamente, tenían cada vez más problemas: el tráfico por los corredores era progresivamente más pesado y azaroso, con la gente dando vueltas y vueltas hasta quedar completamente extraviados. Las carretillas abandonadas o a medio llenar obstruían el paso, las órdenes que se daban por altoparlantes para imponer un poco de orden eran recibidas con gestos de burla. La campaña para sembrar el caos fue culminada con un golpe maestro: los desacomodadores de productos organizaron un mercado negro dentro de los mismos establecimientos, donde no se vendían los productos mismos, sino información sobre ellos, siempre precisa y atenta y a precios razonables; en las cajas registradoras el público se negaba a pagar dos veces por algo que no habrían podido comprar (éste era el argumento letal) si no hubiese sido por esos muchachos simpáticos y serviciales. En menos de un año, la catástrofe final se produjo: el inmenso negocio cerró sus puertas, agobiado por la bancarrota, y el glorioso pueblo consumidor se declaró victorioso en la batalla contra el monstruo chupasangre. Las costumbres han cambiado desde entonces: los mercados sobrevivientes, más pequeños, han renunciado del todo a clasificar sus productos y a señalarlos con letreros; ahora cada uno sigue los impulsos de su corazón, o escucha las recomendaciones de los vecinos y sobre todo confía en su buena suerte, que sigue acompañando a la isla a pesar del dinero que invierten sus enemigos.

La frase "No se puede pensar en Puerto Rico" también puede entenderse en un tercer sentido, esta vez melancólico y lacrimoso: es el lamento de los que se fueron, los que dejaron la isla, buscando mejor fortuna fuera, y que encuentran ahora cerrado el camino de vuelta; en la lejanía, el país se vuelve quimérico, un sueño imposible en el que hay que dejar de pensar. Para los que desaparecen físicamente de la isla, la isla también desaparece: irse de Puerto Rico es como borrar el propio pasado hasta convertirlo en un terreno baldío donde sólo sopla el viento de la ausencia. Fuera de la isla, los portorriqueños crecen como plantas raquíticas, o como frutas del cercado ajeno que nadie quiere. Se van, sin embargo, cargados de ilusiones, a veces resentidos con la tierra que les ha prometido más de lo que les podía dar; al partir, sueñan con ser ricos, tener propiedades, pasar sus últimos años en paz, vivir la gran vida que no pudieron tener antes. Si se deja de pensar en Puerto Rico, se piensa entonces en Estados Unidos. Día a día se van desparramando en diferentes lugares del inmenso país, generalmente en las ciudades que les ofrecen las tentaciones de la gran urbe, como New York, Philadelphia, Chicago, Newark; allí se quedan, arraigan, forman familias, se sumergen en las capas oscuras de la sociedad americana mientras tratan de sobrevivir. Son tantos que hay pequeños Puerto Ricos en cada una de ésas y otras ciudades, con sus bodegas, sus restaurantes, su música y sus fiestas. Hay en eso una violenta contradicción porque la mayoría manifiesta un empeño por asimilarse a la cultura en la que viven y que, por otra parte, espera absorberlos para hacerlos del todo suyos. Pero el esfuerzo se queda a medio camino, haciendo de gran cantidad de portorriqueños hombres que no son ni de aquí ni de allá, y que con los años se volverán incluso extraños para ellos mismos: al darse cuenta de que perdieron su pasado, se dan cuenta también de que ellos *eran* su pasado y que ahora son nadie. Esa es una magistral venganza de Puerto Rico sobre los portorriqueños, que cabría llamar "telúrica" si el término no hubiese sido corrompido por la literatura. Al no sumergirse del todo en la metrópoli, descubren que han perdido dos veces haciendo una sola apuesta: la de tener un país. Se quedan entonces varados entre las dos orillas culturales, flotando como barcos al garete, negándose a ser lo que se supone deben ser, resistiendo las hormas que quieren imponerles. Funcionando como ruedas descentradas, los portorriqueños del exilio niegan los dos sistemas y activan la maldición impuesta sobre ellos desde su nacimiento: el verdadero mar que rodea a Puerto Rico es el Mar de los Sargazos; en realidad, nadie ha abandonado la isla jamás: todos los que lo intentaron están allí, atrapados entre las ramas de la tupida vegetación marina, sus restos colgando malamente de las carcomidas naves en que quisieron huir, sus sueños enmohecidos por el viento salino. Los que llegan, esos que están registrados en New York, Philadelphia o Chicago son sus fantasmas, viviendo para ellos vidas escuálidas. Por eso nadie los reconoce y es tan fría la temperatura de su sangre blanca. Sólo esos fantasmas soportan los embates y durezas a los que se ven sometidos en tierra extraña, en tierras donde el frío puede ser tan vengativo e implacable como el que silba en los cuentos de terror sobrenatural. En New York, los más infelices son precisamente condenados a palear la nieve en lo más duro del invierno, mientras cae una lluvia helada que escarcha los guantes de lana y los endurece como piedras. Tras una hora a la intemperie, la cabeza duele como si hubiese estado colocada entre dos planchas de hierro y los labios se agrietan como ulcerados por el escorbuto. En Chicago hay policías portorriqueños que deben agarrarse de los postes de alumbrado para no ser barridos por el viento asesino del lago, que hace sangrar las fosas nasales, mientras la nieve les ciega los ojos con sus remolinos horizontales. Todo esto resulta más atroz por la simple razón de que, al borrárseles el pasado, sólo un pequeño y lacerante recuerdo se queda clavado en lo más profundo de sus mentes: la húmeda sensación que deja el calor de Puerto Rico en sus pieles, en los cuerpos que ellos eran cuando de niños se bañaban en el mar y jugaban entre patios amplios donde la luz se reflejaba como multiplicada por espejos. El exilio es una penitencia y una ironía: que un portorriqueño muera de frío es algo que también resulta impensable. Pero hay cosas impensables que son rigurosamente ciertas. En *Puerto Rico y Estados Unidos: emigración y colonialismo* (1976), Manuel Maldonado-Denis, cuya autoridad sobre la materia es difícil de discutir, incluye estadísticas sobre los movimientos que sigue la diáspora de casi dos millones de hombres de su país y señala su distribución por áreas. Es imaginable que haya portorriqueños en cualquier estado de Estados Unidos y las tablas de Maldonado-Denis así lo demuestran, pero lo increíble, lo absolutamente demencial es descubrir que, hacia 1970, había

534 portorriqueños en Alaska. ¿Cómo entender esto si no es con la teoría de que todo exilado portorriqueño es un fantasma de sí mismo? Quizá la siguiente fábula lo confirme: el primer portorriqueño que llegó a Alaska tenía 30 años, era muy fuerte y tenía un espíritu alegre. Aunque hizo bastante dinero en un negocio de construcción y su familia de seis miembros vivía sin mayores dificultades, el lugar le cambió el carácter por completo; la gente que lo conocía bien decía que la prosperidad le amargó la vida. Como casi todos en Alaska, prefería salir poco, especialmente en los peores días del invierno, cuando el frío ártico impedía casi respirar y el viento acuchillaba las sienes. Se volvió cada día más perezoso en casa, y todo lo que ambicionaba al regresar del trabajo era beber un gran plato de sopa caliente, ver peleas de box en las que los portorriqueños siempre eran derrotados e irse a la cama antes que los niños. La severidad del invierno no permite eso porque hay que contraatacar limpiando la nieve, rompiendo el hielo con un pico, sellando cada rincón por donde se filtre el aire helado, arreglando el desagüe de la lluvia atascado por pedazos de nieve y ramas de árboles, etc. Su mujer, débil y enfermiza, no lo podía hacer, y menos sus hijos, todavía pequeños. En pocas semanas, durante el último invierno que pasó, la nieve se había acumulado tanto que casi no era posible salir de la casa, salvo trepando esa montaña blanca que refulgía bajo el sol acerado del mediodía, y deslizándose cuesta abajo. Tal vez esto fue lo que le dio la idea; un día, después de haber declarado que su crisis de inacción había terminado, empezó el más extraño proyecto que Alaska haya visto: el hombre empezó a tallar, con variados instrumentos y herramientas, una especie de helado oasis donde podían reconocerse las formas de unas palmeras, un airoso ranchito con techo vegetal, el borde ondeado de una playa, todo en riguroso color blanco. El hombre era un realista convencional y su objetivo era ser fiel a una fotografía que había conservado de su pueblo natal, sobre la costa norte de Puerto Rico. Pronto descubrió que el invierno le daba tiempo para más y amplió el paisaje, agregándole detalles por su cuenta, como carreteras y boscosas

montañas y viejas casonas y hasta un barrio turístico que lucía como primorosamente restaurado. Tres meses después de haber iniciado su tarea, su Puerto Rico personal era una amplia isleta de hielo, con personas de hielo (sus rasgos copiaban los de gente de su viejo barrio) y un mar de hielo con una majestuosa inmovilidad, que abarcaba casi todo el espacio abierto en el bosque vecino a su casa. La gente lo miraba con curiosidad no exenta de desdén; lucía como el proyecto de un loco, de un hombre que ha perdido por completo la noción de lugar. Algunos muchachos, seguramente ebrios, lanzaban objetos extraños para desfigurar los contornos de la obra, o inscribían leyendas obscenas sobre ella. El hombre rehacía con amorosa paciencia todo lo dañado, y aumentaba algún elemento decorativo por un sentido de compensación. Nadie se extrañó cuando vieron que una de las figuras —un veraneante despatarrado sobre una perezosa de hielo— apareció una mañana con floreada ropa de baño y anteojos de sol. Pero los familiares del artista del hielo sí se inquietaron porque no lo vieron partir temprano al trabajo y tampoco lo vieron volver. Las indagaciones previsibles en estos casos se agotaron antes de que se diesen cuenta, con dolor, que el veraneante de hielo no era un personaje de la obra, sino el autor mismo; en un rapto de entusiasmo se había agregado a su compleja escultura ártica como lo habría hecho en lo más candente del verano de Puerto Rico. Lo curioso del caso es que, cuando lo retiraron de la gélida tumba que evidentemente se había construido para sí mismo, no encontraron el cadáver de un hombre que ha muerto por congelamiento, sino el de una estatua de hielo que no logró ser del todo una criatura humana; en el centro de la figura, donde debía haber estado el corazón, había algo blanco y como atrofiado, un conato de vértebras y un pedazo de vena llena naturalmente de hielo o sangre blanca. La historia ha sido rechazada por algunas autoridades y por un sector de la opinión científica más seria. No importa: todos los portorriqueños que llegaron después a Alaska, juran que es cierta y cuando lo hacen no pueden contener un fulgor, un brillo en los ojos, que podría ser de lágrimas, como pasa siempre que piensan en Puerto Rico.

La lección

La lección

The perception of beauty
is a moral test.

Thoreau

A Balthus

El profesor Morante ya había tenido dos pequeños tropiezos esta mañana: una inesperada cancelación de la visita de un colega francés, por la que él había luchado tanto, y luego la pérdida de la llave de su archivo. Estaba seguro de no haberla dejado caer inadvertidamente en la calle, pero entonces ¿dónde demonios estaba? Tuvo que cambiar sus planes para la clase de la mañana, y ahora estaba revisando el material con el que pensaba reemplazar el que tenía guardado en el archivo. Casi una hora había pasado desde que llegó a su oficina, repleta de libros ya maltratados por el uso o el olvido, y no había podido hacer prácticamente nada. Por alguna razón, este lunes el pasillo del Departamento de Historia parecía estar más lleno que de costumbre; debían ser los nuevos profesores jóvenes, motivo de orgullo interno del Departamento. ¿O eran los estudiantes del doctorado que él aún no conocía? Caminar por el pasillo, con su tráfico urgente, siempre regulado por el reloj eléctrico que sonaba al comienzo y al final de cada clase, y con sus oficinas entreabiertas de las que emanaba un rumor de conversaciones telefónicas semiprivadas o a las que ingresaba un estudiante mientras otro quedaba esperando (al profesor Morante le hacían pensar en los furtivos clientes de un burdel o del confesionario), era una fuente constante de encuentros azarosos, más bien roces que se resolvían en un saludo y una frase que podía quedar colgada en el aire sin que a nadie le importase mucho.

Un par de personas lo habían detenido largo rato. Primero, el profesor Delgado, cuyo nombre era la peor broma que se podía imaginar, porque era inmenso como un arcón antiguo y parecía forrado en grueso cuero de vaca. Era el único español del Departamento (y uno de los pocos en toda la universidad) y eso hacía en él todo más notorio: el acento, la risa, el modo de tratar a los estudiantes. En privado era un hombre encantador e ingenioso; en el trabajo, en cambio, se convertía en otro —un conjurado contra las conjuras que siempre lo amenazaban. En las reuniones departamentales, defendía sus puntos de vista con brillo, pero cuando perdía una votación se deprimía mucho: pensaba que defendía siempre una causa sagrada y que si alguien discrepaba con él, era porque no lo había entendido o era un canalla. El otro encuentro fue con uno de los profesores jóvenes, un inglés rubio como un ángel (el Departamento estaba llenándose de ingleses y el sesgo de los estudios estaba virando lentamente de lo que antes se consideraba su centro natural: la Francia revolucionaria); el ángel británico lo detuvo para que firmase un pedido de revisión en favor de otro inglés, cuyo puesto estaba en peligro. El profesor Morante escuchó, vio que su interlocutor tenía sólo parte de razón, pero firmó igual: si un comité cometía un error, otro comité podía subsanarlo; pero el resultado le era indiferente. Esos pequeños dramas de la vida académica eran la módica suma de aventuras que brindaba a todos la sensación de que algo estaba pasando; salvo algún divorcio o el infarto de los profesores retirados, la verdadera tragedia parecía ajena a los pasillos, como si se guardase íntegra —con su desfile de pueblos martirizados, traiciones cortesanas y grandiosas pasiones nacionales— para las clases de historia. Pero ahora el profesor Morante estaba al fin recluido en su cubículo, leyendo en silencio y subrayando unos pasajes de un libro. Tenía sólo media hora libre y se propuso aprovechar ese tiempo con una especie de codicia.

Pero alguien tocó su puerta con unos golpes tímidos y el sueño de la media hora se vino abajo. Se levantó, abrió la puerta, vio a esa muchacha de su clase de siglo XIX, que se llamaba Lorena o Malena, y de inmediato supo de qué se trataba, aunque aparentó no saberlo. El indicio era claro para él; la chica tenía la cabeza baja y una concentración que no había mostrado hasta ahora en las clases: venía a hablar de ella misma, venía a hablar de la nota de su examen. Las grandes tragedias eran las pequeñas tragedias magnificadas. Lorena o Malena se sentó, las piernas muy recogidas, el bolso hinchado de libros y cuadernos a sus pies. No sabía cómo comenzar; él la ayudó:

—¿Cuántos cursos está tomando este semestre? ¿Cómo le va en ellos?

—Tres ahora. Bien en general, creo. Historia IV es el más difícil; muchas lecturas, muchos trabajos escritos todas las semanas. Pero el profesor dice que sólo así aprendemos.

Por un rato, mientras ella seguía hablando él reflexionó que el sistema de enseñanza —*todo* sistema de enseñanza conocido— era un régimen abusivo, cuando no de tortura: cada profesor se instalaba en su reino —su siglo, su acontecimiento histórico, su tesoro de ideas personales— y desde allí disparaba, sobre jóvenes cabezas que ignoraban todo menos que los textos eran obligatorios, la noción de que cada curso era el centro del universo. Sintió un malestar en el pecho; quizá él también hacía lo mismo —¿cómo entender el mundo moderno sin Napoleón?; él no podía—, aunque al menos les decía a sus estudiantes que Mahoma o Cristo o Buda no eran malos candidatos, y que habían cursos suficientes como para demostrarlo. El problema era difundir un saber —sin causar más bajas que Napoleón— entre los menos preparados, entre los emocionalmente más débiles. Las universidades guardaban estricta memoria de su contribución al país y a la cultura, con su firmamento de premiados, egresados eminentes y benefactores de la humanidad, pero nadie guardaba recuerdo de los que quedaban regados por el camino, frustrados con un puñado de libros en la mano, tratando de sobrevivir y de que los que pisaban más fuerte no los aplastasen; eran pequeños botes zarandeados en medio de transatlánticos bien enfilados hacia sus destinos.

—Entiéndalo con cierto buen humor —dijo él—. Lo que el profesor de Historia IV está haciendo es un poco de relaciones públicas para venderle su curso, porque sabe que es un buen producto. Yo sé que es un buen producto. Y usted lo consume a través de los textos que él le da a probar. ¿Se da cuenta?

—Sí —dijo ella, sin alegría—. Pero todo es tan abstracto, tan frío. El se interesa más en el curso que en nosotros; en nosotros como personas, digo.

—¿Cuántos hay en clase?

—Unos cuarenta.

—Imagínese —dijo él, abriendo las manos—. Imagínese usted una fiesta con cuarenta amigos a la vez. Alguien siempre se va a sentir desatendido, a alguien se le acaba la cerveza antes de que usted se entere.

Ella se sonrió por primera vez, aunque los ojos se mantuvieron distantes; él tuvo la impresión de que no lo miraba, sino de que lo vigilaba. Lorena o Malena era bastante menuda, lo que se acentuaba por el casacón verdoso que la cubría, decididamente más grande de lo debido; eso y los blue jeans ya desgastados en las rodillas contradecían la coqueta blusa blanca con una especie de corbatín y cuello de pajarito, del que emergía una cara enmarcada por la fina mandíbula, firme y suave como hecha con huesos de conejo; la boca lucía abultada, tal vez por un gesto de reproche.

—Bueno —dijo ella—, no quiero quitarle mucho tiempo, profesor, pero quería preguntarle algunas cosas sobre mi examen. Sí, ya sé que no fue muy bueno, pero quiero que sepa que me preparé a fondo, que leí todo lo que había que leer, y aún más.

—Muy bien. La felicito por eso.

—Pero mi nota parece indicar lo contrario.

—Cuando pongo una nota, califico un examen, no una persona. Lo que usted me dice que hizo está bien. Su examen puede ser otra cosa. ¿Lo tiene allí? Déjeme verlo.

Ella le alargó el cuadernillo del examen y él buscó antes que nada el nombre para saber con quién hablaba: era Lorena. El profesor recordó que ella se sentaba siempre en la fila de la izquierda, justo detrás de una chica de anteojos y cabellos larguísimos: ésa era Malena y por eso las confundía. Vio la nota en la primera página y sintió un poco de vergüenza, no por ella, sino por sí mismo: era una nota baja, pero lo peor era el comentario que había puesto al costado en terrible tinta roja, como una maldición de novela gótica: "Espero que su próximo examen sea mejor; usted es capaz de hacerlo."

—¿Qué tengo que hacer? —dijo ella, con cierta angustia en la voz—. Si no logro mejorar esta nota la próxima vez, mi promedio general va a bajar y usted ya sabe...

—Dígame sinceramente: ¿le parece muy difícil el curso? ¿Hay algo que no entiende?

—No, al contrario: es uno de los cursos que sigo con mayor facilidad. Eso es lo que me desconcierta. En Historia IV me fue mejor. Es gracioso.

—¿Le parece a usted que la nota es realmente injusta?

—Sí —dijo ella de inmediato, como si le hubiesen dado una oportunidad preciosa para dejarse de ceremonias—. Creo que sí. Y lo peor de...

No pudo seguir, porque los ojos enrojecidos la traicionaron y se llenaron de una leve humedad que se demoró en formar una solitaria lágrima, que rodó como un trozo de sal por su mejilla. El llanto acentuaba el rasgo levemente oriental de sus ojos.

—Disculpe —dijo auténticamente humillada, pues ahora también su nariz fluía y ella no encontraba un pañuelo.

El profesor abrió un cajón de su escritorio y le dio un paquetito de kleenex. Ella se secó los ojos y se sonó ruidosamente.

—Disculpe —volvió a decir—. Estoy muy nerviosa.

La injusticia de la situación le hizo sentirse odioso: la pobre chica no había sido capaz de dar un buen examen y tampoco de reclamar sin traicionar su enorme decepción. Estaba herida en algo tan profundo que él no podía imaginar, aunque quiso. No lo incomodaba tanto la nota baja (algo en él se resistía a creer que era injusta, un simple error de juicio), sino esa insensata certeza —*Usted es capaz de hacerlo*— que ahora parecía acusarlo: ¿quién era él para hacer predicciones de ese tipo? El rendimiento de Lorena no estaba en sus manos, por supuesto. El no sabía nada de ella; específicamente, no sabía qué era capaz de hacer. Le parecía que era inteligente y hasta rápida, si estaba atenta, para captar pensamientos nuevos, pero él no sabía qué cosas importantes ignoraba de ella. Cada alumno era, si uno lo pensaba bien, la hechura de tantos profesores y cursos anteriores; hechura de sus flaquezas y sus carencias, sobre todo. Los alumnos llegaban a uno cuando algo irreparable ya había ocurrido con ellos; y cuando ya comenzaba a entender dónde estaba el problema, el alumno desaparecía para siempre de su vista —rumbo a otro profesor, que iba a notar también que algo irreparable había ocurrido antes de él. Los estudiantes pasaban delante de ellos como botellas en una cinta transportadora: cada uno se ocupaba de un aspecto del proceso, pero nadie respondía del producto final ni de los ejemplares defectuosos.

—Mire, Lorena —le dijo sin levantar los ojos del cuadernillo, porque la oyó sonarse otra vez—, creo que lo mejor será que revise nuevamente su examen. Tal vez me he equivocado en la nota y...

—Oh, no, yo no quiero que usted me cambie la nota. Por cierto que no. Sobre todo si usted piensa que yo fallé, que hice algo mal.

Ahora tenía los ojos secos, aunque todavía rojos, pero algo en su mirada y en la voz había logrado hacerse cortante: ahora estaba al ataque, llena de orgullo, sencillamente porque antes había aparecido tan débil, tan desarmada. Empezó a meter en su bolso los dos o tres libros que había sacado para demostrarle, con su simple existencia, que los había leído. No sólo eso: que los había entendido.

—No he venido a reclamar la nota —repitió Lorena—. Lo que deseo es saber qué quiere usted que yo...

Una lágrima, también lenta, brotó inesperadamente del mismo ojo. Ella no quiso ocultarla esta vez: la exhibió ante él, como una prueba a favor suyo. El no supo si darle más Kleenex.

—Bueno —dijo él—, si usted no me deja leerlo una vez más no podré saberlo yo tampoco. He corregido muchos exámenes esta semana. ¿Me permite tenerlo?

Pero justo en el momento en que lo dijo, sin saber cómo, vio que su propia mano, contradictoriamente, le alargaba a Lorena el cuadernillo como para que ella optase si dejarlo en su poder o no; ella extendió el brazo para tomarlo y casi lo tocó (el papel tembló un poco), pero finalmente no se animó a hacerlo; el brazo de Lorena quedó sobre un ángulo del escritorio, como abandonado. En sus labios había la sombra de una sonrisa; él sonrió a su vez, más francamente, y dijo:

—Gracias. Hablaremos de esto el miércoles.

—No sé si podré venir ese día.

—Bueno, entonces antes de clase. O se lo dejo con la secretaria.

Lorena ya estaba de pie, ni contenta ni triste: algo atontada o confusa. Se cerró el enorme casacón con lentitud; el profesor Morante pensó que quería decirle algo más.

—Ha hecho bien en venir —dijo él, animándola todo lo que podía—. En estos casos, siempre es mejor hablar. Si no hubiese venido, yo no me hubiese enterado del problema y usted estaría sintiéndose mal. Ahora los dos, creo, nos sentimos mejor.

Ambos estaban ya de pie. Ella miró rápidamente las paredes de su oficina mientras se dirigía hacia la puerta, seguida por él.

—Hasta luego —dijo Lorena, con una expresión más confiada; pero antes de salir, se detuvo un instante y con la cara más alegre del mundo, como si estuviese dando una buena noticia, le dijo, señalando hacia la foto que él tenía sobre su escritorio—: Su esposa es muy guapa, y sus hijos son preciosos.

Antes de que él pudiese reaccionar y agradecer, ella había desaparecido. El todavía tenía el cuadernillo, colgando inútil de su mano. Borró todo de su mente, porque se dio cuenta de que apenas tenía tiempo para llegar a clase.

Era justo en este punto del sinuoso camino donde él sentía, de un modo inconfundible, cómo la sangre que bombeaba su corazón empezaba a picar en sus venas; debía ser el oxígeno, pensaba él, mientras veía cómo la mancha de sudor que le cubría el pecho se extendía como la forma de una mariposa. Tomó penosamente esa cuesta, maldiciéndose por haberse impuesto este martirio, felicitándose por haber dado un paso más a pesar del tirón en los tobillos. Poco antes había pisado una piedrecilla y esa insignificancia le había desparramado un hilo de fuego hasta la ingle. Pero había seguido corriendo, fiel a su rutina de ocho kilómetros, o sea tres veces la vuelta a la pista que formaba un anillo irregular en la parte sur, la más accidentada, del campus. Cuando vio que la cuesta fugaba bajo sus pies (estaba siempre atento al cambio de color en el pavimento, que parecía un premio para sus piernas ya envaradas), sintió el enorme alivio, no sólo de saber que lo peor había pasado, sino de que iba a poder cumplir su rutina una vez más. ¿En qué momento no podría hacer los ocho kilómetros? ¿En qué momento empezaría a trampear y caminaría una parte del trayecto mientras sus piernas fingían correr? Dos o tres veces había ido más lejos de su límite: nueve, diez kilómetros. Pero había decidido no exagerar: temía convertirse en un fanático, en una víctima de su propio gusto. Controlando su ambición, controlaba también su placer. No le importaba saber si podía mejorar la velocidad o la distancia; sólo le importaba mantener el mismo ritmo y dar sus tres vueltas en menos de una hora.

Escuchó las fuertes trancadas y los bufidos de alguien a sus espaldas; un hombre lo pasó tan rápidamente que apenas tuvo tiempo de verle la cara y el torso desnudo cubierto de sudor, brillando bajo el pálido sol como si fuese aceite. Advirtió que ahora no quedaba sino un tramo en forma de S, el último. Pensó en la ducha que se daría de inmediato y sintió una briosa felicidad. En ese momento, una pequeña figura femenina, cubierta con unos shorts azules y una camiseta blanca, que iba en sentido contrario por una pista paralela a la suya pero más elevada, le hizo un saludo con la mano y le gritó:

—¡Hey, hey! —y luego se perdió de vista tras los ficus que bordeaban el sendero.

El agitó también la mano pero sin saber quién era, porque no tenía sus anteojos; la leve deformación que las cosas lejanas sufrían ante sus ojos, lo ayudaba a abstraerse, a no pensar sino en el traqueteo de sus pies y en ese émbolo que empujaba la sangre por sus venas. De la mujer que lo había saludado, sólo siguió viendo el pelo sujetado por una banda y las piernas, relucientes como las patas de un caballo. Siguió corriendo hasta su meta y cuando ya la tenía frente a sí, aceleró todo lo que pudo y se imaginó que había triunfado, que todos habían quedado atrás: ese zumbido en sus oídos eran los aplausos de un público ausente. Caminó con las manos en los riñones, tratando de absorber la mayor cantidad de aire posible mientras el sudor le caía ahora por la cara, como si le hubiesen exprimido una toalla en la cabeza.

Mientras se bañaba, tomando agua casi helada con la boca abierta y escupiéndola luego, pensó en Bárbara, su mujer, sin duda porque ella fue quien lo incitó primero a correr. Esa época parecía ahora lejana pero no habían pasado siquiera tres años. Por ese entonces, ella era una persona muy consciente de su cuerpo, de lo que comía y lo que bebía. El la había llegado a ver pesando ingredientes, o vertiéndolos en recipientes de plástico especialmente medidos. Tenía una balanza en el cerebro y se sentía feliz de martirizarse si bajaba una talla o un kilo. Pero después ese entusiasmo había cedido, lo que no era de extrañar porque sus pasiones duraban dos o tres años, no más; él las heredaba y las continuaba indefinidamente: era el registro viviente de las caídas y deserciones de Bárbara. Antes, ella había vivido sólo para los niños de una escuela, y todavía antes para la cerámica; ahora, apenas tenía tiempo para correr porque había descubierto el mundo de los negocios y estaba fascinada. Había comenzado por una pequeña boutique de ropa muy cara, con un aire de antigua y una mezcla dramática de colores pálidos y densos, rayas y grandes rombos. Las ventas fueron estupendas, empezaron a llegar pedidos cada vez mayores; tuvo que instalar un taller en las afueras de la ciudad e invirtió parte de sus ganancias en otra tienda, ya lejos de aquí. Como resultado de todo esto, ella pasaba media semana (a veces más) fuera, y él había aceptado arreglárselas solo. Sus dos hijos no eran ya mayor problema: eran suficientemente grandes y lo habían demostrado yéndose a vivir por su cuenta. El profesor Morante sólo se preocupaba por Andrés que era un verdadero caso de inestabilidad; pero el otro, Mario, no sólo era muy inteligente, sino que tenía una suerte extraordinaria: le iba bien en todo —estudios, trabajo, chicas—, a pesar del rebelde acné que le estigmatizaba la nariz justo la noche en que tenía un compromiso. Cuando no venían a visitarlos, los muchachos sostenían con ellos largas y entreveradas charlas telefónicas; poco se resolvía en ellas, pero les daban a los cuatro una sensación de que estaban comunicándose.

Era casi la una de la tarde y el profesor Morante decidió calmar su hambre con un sandwich de jamón (tiró las tajadas de pan que sabían a papel y comió solo la carne) y una naranja; tomó dos vasos seguidos de agua fría, que le pareció lo mejor de su almuerzo. Había venido al café que quedaba justo al otro lado del campus, porque el que estaba cerca de su oficina siempre estaba atestado. El sol caía sobre sus manos, como un velo desprendido de las grandes ventanas cubiertas sólo en la parte inferior por cortinillas a cuadros, que era lo único que justificaba el pretencioso nombre del lugar: "Europa". ¿Qué cenaría a la noche? Vaciló entre abrir unas latas y preparar una ensalada, o cenar en el simpático restaurante a cuatro cuadras de su casa, donde el dueño le hacía platos especiales; el único problema era que, cuando lo veía solo, pensaba que estaba aburrido y lo envolvía en una charla que excluía todo lo que no era trivial. Su vida había cambiado bastante desde que Bárbara comenzó su negocio, pero él no estaba descontento: ahora le parecía que tenía más tiempo, que podía organizarse mejor. En las noches había un silencio casi sobrenatural en la casa; él encendía el estéreo y escuchaba óperas —las más vibrantes, las más estentóreas— para recobrar un sentido de realidad. Ver a su mujer era ahora casi un privilegio, porque cuando ella volvía a la ciudad, él estaba más ocupado que nunca en su oficina. Casi ya no vivían juntos: se encontraban juntos. En una ráfaga, tuvo una visión nostálgica del cuerpo de Bárbara, de piernas tan delgadas y senos tan pequeños que cuando levantaba los brazos parecía un jovencito de formas suavemente femeninas. Sólo la boca intensamente roja y como subrayada por el carnoso labio superior, delataban ese foco pasional que ella guardaba de su juventud —juventud era, para ella, todo lo que había ocurrido antes de sus 30 años— y que desplegaba para él con el aire exaltado con el que una niña muestra su casa de muñecas. Eso pasaba frecuentemente cuando Bárbara hacía, al costado de la cama y mientras él leía un diario, ese breve ejercicio que tenía más de meditación oriental que de gimnasia, al que había reducido su actividad física: un lento arquearse sobre las manos y la punta de los pies hasta que el vientre se elevaba tenso como el parche de un tambor. Como lo hacía casi desnuda, salvo por el absurdo bikini transparente de su ropa de dormir, él podía ver cómo le temblaba el ombligo —Bárbara tenía un gracioso ombligo de bebé— y cómo los labios bajo el vello del pubis, borroso tras la mínima prenda, mordían la tela con una suerte de desesperación, como si estuvieran queriendo decir algo tras una mordaza. Luego bajaba el cuerpo y, siempre de espaldas, levantaba las piernas como un caracol y mantenía las rodillas justo sobre su cabeza, las nalgas apretadas y cubiertas por ese brillo satinado del leve sudor que la maniobra provocaba. Ella entonces abría los ojos como si volviese de un sueño, exhibía en sus lustrosos labios una sonrisa cínica de seducción, deslizaba el bikini hacia abajo (él estaba atento al susurro de la tela al desprenderse de los pies), se lo tiraba juguetonamente a la cara, abría las piernas formando con una de ellas una especie de 4 o de gancho, con el que, todavía desde el suelo, pescaba la cabeza de él y la enterraba delicadamente en el pubis oloroso a talco y azahar.

El profesor Morante pagó, compró unas mentas y salió muy contento, muy esperanzado en la única clase de ese día: las primeras jornadas del Directorio. Les iba a mostrar unos *slides* de la arquitectura de la época, tan aparatosa en su hieratismo, para ahorrarse unas explicaciones. Mientras manejaba canturreó un poco el aria de la ópera que había escuchado anoche; no le gustaba mucho, pero era terriblemente pegajosa. El arte operático y la era napoleónica eran cosas que casi no podía pensar por separado.

Prefirió subir por las oscuras escaleras y no por el ascensor, con su molesto arrancón y su chirriante parada. Justo al llegar a su piso tropezó con el profesor Delgado, que salía, y que lo detuvo por dos motivos: uno, para informarle que tenía pruebas —ahora sí *graves,* insistió— de que el decano quería echar a medio mundo del Departamento, a menos que la gente —según dijo— "estuviese dispuesta a lustrarle los zapatos"; luego, para hacerle firmar un pedido de asamblea. Intentó leerle el texto, pero él le hizo ver que apenas tenía tiempo y le pidió una copia para revisarla con calma; el profesor Delgado escuchó esto casi como si le hubiesen clavado una puñalada en la espalda, pero lo aceptó con una mueca amarga: no le gustaban las maniobras dilatorias. Apenas el profesor Morante enfrentó el pasillo se dio cuenta que había una persona esperándolo, tranquilamente sentada como un perro guardián ante su puerta. Reconoció a Lorena sobre todo por el pelo, que brillaba con un fulgor de miel sobre sus hombros, las puntas cortadas con la precisión de un cuchillo. En ese momento, el profesor Morante recordó que dos noches atrás se había pasado una hora corrigiendo una vez más el examen (era casi mediocre, la nota era justa) y después escribiendo a máquina una larga nota explicativa de los puntos débiles de las respuestas.

Había llegado a alinear hasta diez observaciones citando ejemplos y páginas: fáciles generalizaciones, argumentación en círculos, afirmaciones inconsistentes, hipótesis que oscurecían los acontecimientos que pretendían esclarecer, etc. Claro, sabía que estos defectos eran comunes a los estudiantes de su edad y su grado de experiencia, y aun al género humano y a los mismos historiadores. Pero ¿qué otra cosa podía enseñar si no era a pensar de una manera que probase que uno cree lo que piensa? No era fácil hablar a jóvenes del pasado: para ellos, el pasado era lo que hicieron la semana anterior y sólo merece olvido. Por otro lado, la enseñanza —creía el profesor Morante— tenía algo de acto mágico, de imposible. En el fondo, consistía en la transmisión del conocimiento a través de la palabra: Egipto, las culturas mesopotámicas, las campañas napoleónicas, la primera guerra mundial, todo tenía que caber en cápsulas de tiempo de 50 minutos cada una. A veces se sentía realmente como un medium, conjurando fluidos magnéticos del pasado. Otros hablaban por su boca, como esas cabezas parlantes y vendadas que los hipnotizadores utilizaban para demostrar que el pensamiento viajaba a la distancia. Al parecer, el pensamiento no había viajado mucho en el caso de Lorena, lo que resultaba desconcertante porque la chica no era tonta.

—Qué tal —dijeron los dos casi a la vez y no sintieron necesidad de contestarse.

El abrió su oficina, encendió la luz y la hizo pasar. Al cruzar delante de él, ella dejó una fragancia rara, como si hubiese caminado entre pinos. Todo, salvo el pelo y la boca permanentemente fruncida, había cambiado en ella. Tenía un vestido amarillo con unos indiscernibles dibujitos rojos (quizá eran pequeñas flechas o pájaros) y ceñido con un cinturón metálico que parecía una víbora. Lucía más alta, no sólo porque llevaba tacos, sino porque el vestido tenía unas hombreras cuadradas que le daban un aire de maniquí o de atleta; con el pelo suelto besándole apenas los hombros, tenía un aspecto fresco, enérgico, como si hubiese salido recién de la ducha.

—Qué lindo día —dijo ella, mirando por la ventana, y

antes de que él pudiese comprobarlo, agregó—: No sabía que usted corría.

—¿Quién se lo dijo?

—No me lo dijo nadie. Lo vi correr esta mañana. Yo iba en otra dirección. Pensé que usted me había reconocido cuando lo saludé.

—Ah, era usted —dijo él, recordando la figura que le había gritado "¡Hey, hey!" horas antes; ella también debía haberse bañado después de eso, lo que quizá explicaba su aspecto y su perfume—. No la reconocí en absoluto; disculpe. En realidad, saludé a ciegas. ¿Corre usted todos los días?

—No, sólo cuando no juego tenis. El tenis es lo que más me gusta. Pero hoy no tuve tiempo, así es que corrí un poco.

—Se rió con una malicia infantil y comentó—: ¿Usted no iba muy rápido, no?

—No —admitió él—, justo estaba por acabar y ésa es la parte donde uno más trampea. No corro por espíritu de competencia, ni siquiera conmigo mismo.

El miró distraídamente por la ventana y vio que, en efecto, el día era hermoso: las nubes eran arreadas por el viento en lo más alto de un cielo casi perfectamente transparente; a lo lejos, las colinas brillaban como espejos. Lorena se quedó un rato en silencio, pensando algo o simplemente esperando. Estaba completamente relajada y sus rasgos daban la impresión de estar mejor definidos, como si alguien los hubiese retocado con un lápiz de dibujo. ¿O era el maquillaje? No sabía, por ejemplo, si el sesgo almendrado de los ojos o la recta forma de huso de la nariz eran en parte algo artificial. El profesor Morante reparó que el bolso de Lorena lucía un botón metálico en la correa; leyó la palabra SOLIDARNOŚĆ escrita con los reconocibles toscos caracteres y la banderita rojiblanca flotando sobre el poste de la N. Le hizo una pregunta obvia, sólo para hacerla hablar del tema:

—¿Simpatizante de Walesa, verdad?

—De él y de los obreros polacos. ¿No le parece maravilloso lo que han hecho?

—Sin duda. Están probando que se puede ser valiente sin

derramar una gota de sangre, por lo menos intencional-
mente. Eso es muy difícil. ¿Cree que triunfarán?

—Sí, claro que sí. Solidaridad es un movimiento imposible de suprimir ahora.

—No creo exactamente eso. Lo suprimirán cuando quieran.

—Pero el gobierno militar ya ha tratado...

—No se necesita que lo hagan ellos mismos. Pueden ser
sacrificados por la propia iglesia católica, si es que con eso
logran un arreglo temporal. No se olvide que el Papa es la
verdadera autoridad del país; una autoridad sonriente y
paternal pero irrefutable, lo que es una mezcla muy atractiva. Claro, si es necesario, el gobierno puede matarlos a
todos; los pretextos sobran. Pero los obreros polacos que
vengan luego no se quedarán inactivos. Solidaridad seguirá
viviendo, posiblemente bajo otras formas. Los polacos saben
lo que es vivir condenados a muerte.

—Lo importante es que esa esperanza no desaparezca.
Ahora me acuerdo que, hablando del Imperio en Francia,
usted dijo en una clase que sólo las ideologías que encarnan
en emociones humanas profundas y compartibles, y no en el
apetito de poder o el cálculo, merecen sobrevivir. No importa que sus autores mueran. Eso dijo usted.

—Me parece que sí. Dicho así, suena un poco cruel, ¿verdad? Pobre Napoleón.

—Sí, pobre Napoleón —repitió ella y ambos se rieron
complacidos.

Lorena lo miró fijamente un momento, como si quisiese decirle algo importante, pero sus ojos rasgados
parpadearon un poco y bajaron hacia sus propias manos,
pequeñas y con uñas sin pintar. Habló mirando un poco más
allá de donde estaba él:

—Profesor, yo venía a agradecerle.

—¿Agradecerme qué?

—La nota explicativa que escribió para mí, sobre mi prueba. La leí dos veces y después ya no quise volver a leer mi
examen.

El le había dejado ambas cosas en manos de la secretaria,

el día anterior. Quería que Lorena tuviese tiempo de reflexionar antes de la próxima clase, pero no estaba seguro de su reacción. ¿Sería ella una de esas personas que no buscan tanto la justicia como la compasión? Ahora lo sabía, ahora tenía una idea más segura de quién era ella: era mejor que su examen.

—¿Fui suficientemente claro? ¿Le hice ver bien los motivos que tuve para ponerle la nota?

—Sí, por supuesto —dijo ella, con entusiasmo—. Como le dije: ya no quise saber más de mi examen. Después me di cuenta de que había cometido un error. No digo en el examen, sino viniendo aquí a reclamar.

—Usted no vino a reclamar: usted sólo quería saber por qué. Estaba en su derecho.

—Quien tenía la razón era usted. Le agradezco por habérmelo demostrado. Me ha dado usted una lección. Y ésta —dijo con una sonrisa entre triste y orgullosa— sí la he aprendido.

—Aprendemos de los modos más inesperados. Aprender fuera del salón de clases es lo menos frecuente, y lo menos engañoso. Me alegra saberlo, Lorena. Me alegra saber que usted es capaz de reconocer sus errores.

—Y además creo que tengo que pedirle disculpas por haberle hecho perder su tiempo con mis reclamos y luego con la revisión del examen. Oh, estoy tan avergonzada. No parece —agregó y lanzó otra vez su agridulce sonrisa—, pero estoy avergonzada.

—Yo estoy muy contento de tenerla como alumna.

—Avergonzada porque esto ocurrió justamente con usted.

—No entiendo. Mi curso...

—No hablo de eso —dijo ella con cierta impaciencia, traicionándose un poco: quería hablar de otra cosa—: Oh, perdóneme.

Apenas dijo eso, se cubrió la cara con las manos y la echó para adelante. El creyó que ella iba a llorar, pero no oyó sollozo alguno; sencillamente ella no podía o no quería mirarlo de frente: ¿estaría tan avergonzada? ¿Estaba dramatizando la situación para hacérsela verosímil? ¿Era del todo sincera?

Muy perplejo, enfrentado con una interlocutora en silencio, bloqueada y con el rostro cubierto, se le ocurrió tocarle levemente el brazo para hacerle sentir su presencia y sacarla del impasse. Lo que sucedió entonces fue como un relámpago que lo dejó clavado en su silla giratoria: Lorena tomó al vuelo la mano de él, como si hubiese estado esperando ese momento, ese descuido, y la colocó entre sus dos palmas, igual que si agarrase una paloma, y luego sobre su regazo; él sintió el calor de su muslo semidescubierto por la abertura de la falda, y una especie de latido en esa piel que relucía como si estuviese pulida.

—Tengo que hablarte —dijo ella, con la ansiedad de un espía—. Tengo que hacerlo, no importa como sea.

El casi no percibió el sentido de la frase, sino la súbita transición, el modo irreprimible en que había pasado del *usted, profesor* al *tengo que hablarte*. Se dio cuenta de que no era el muslo de ella el que latía, sino su propia mano. La confusión se acumulaba en su mente como un montón de objetos de desecho; pero se sobrepuso parcialmente y optó por jugar el papel del cínico que prefiere ganar tiempo ignorando lo importante y hablando de algo trivial:

—Si quieres hablarme, no tienes por qué retener mi mano. Todo el mundo nos va a ver, lo que no está bien, ¿verdad?

—No me importa ahora. Pero si te incomoda, mejor cierra la puerta. Yo prefiero retener tu mano.

Poder liberarse de la presión de sus dedos siquiera por un momento, fue un gran alivio para él; se levantó y cerró la puerta, justo cuando pasaba la secretaria cantándole un saludo. No tenía la menor intención de volver a su asiento y dejar que ella le atrapase otra vez la mano: se sentía cazado y envuelto en una situación que no podía controlar. Y él acababa de cerrar la puerta... Pensó que era un idiota al no haberse dado cuenta de que esto iba a ocurrir; era como si le hubiesen dado una información importante y no la hubiese leído. Lorena había dado el primer golpe y ahora él estaba a la defensiva. Se apoyó en la puerta y respiró hondamente. Lorena, recortada por la luz de la ventana, lucía derribada en su silla, una pierna adelantada y la otra algo torcida, el tajo de la falda abierto como si acabase de rasgarse. Escuchó su voz:

—¿No vas a sentarte? ¿No quieres escucharme?

—No estoy tan seguro. Mejor dicho: supongo lo que vas decirme. En estos casos, es casi siempre lo mismo. No se necesita tener mucha imaginación —y añadió sin poder disimular el malhumor—: No me gusta esta repentina intimidad. Yo no la he buscado; tú no tienes por qué dármela. Me estás haciendo perder mi tiempo.

—Es gracioso: quieres herirme, pero no lo logras. Eso también era previsible. ¿Sabes por qué? Porque estás resistiéndote a aceptar la realidad. Una realidad que aceptarías que pase con otros, pero no contigo. Tú quieres ser la excepción, por cierto. Tienes un orgullo enfermizo, pobre.

Dijo *pobre* auténticamente conmovida por su caso: le parecía estar hablando con una especialista, que lo recriminaba por no ajustarse a sus indicaciones. La desmedida insolencia de Lorena lo hizo sonreir; él no se dio cuenta de esto hasta que ella dijo:

—¿Ves? Así es mejor: cuando de sonríes, las cosas van mejor. ¿Me vas a escuchar? ¿Te vas a sentar a mi lado? ¿Crees que no está bien?

El seguía sin entender nada: por momentos, pensaba que ella estaba tendiéndole una obvia trampa, jugando con él al gato y al ratón; pero después sentía que escucharla no lo comprometía en nada: había que atender un rato, había que comprender, había que tener paciencia y luego seguir trabajando. Inesperadamente, sintió una gran curiosidad por lo que la chica le iba a decir; no por la sustancia, sino por los detalles. Además, quería saber por qué diablos estaba ella hablándole de ese modo, como si fuese un antiguo amigo suyo, con muchas peleas y reconciliaciones entre ambos. Algunas fáciles seguridades —del tipo *usted es capaz de hacerlo*— se iban desmoronando dentro de él, casi visiblemente, pues Lorena trató de arrancarlo de su refugio tras la puerta cerrada:

—Ven aquí. No es cierto que no tienes tiempo. No es cierto que no vas a escucharme.

Lo trataba ahora como a un niñito, al que había que ayudar a hacer el camino entre la puerta y su sillón. El realizó un esfuerzo por su parte.

—Te escucho —le dijo.

—Dame tu mano —exigió suavemente ella—. No puedo hablarte si no te siento cerca, si no tengo una prueba de tu confianza. Tú eres todavía mi profesor, no puedo olvidarme de eso, es difícil.

El le dio la mano como una transacción y, sin saber bien cómo, vio que sus dedos se aferraban a las muñecas de ella, con cierta dulzura que no estaba muy seguro de tener; así, bien asidos pero incongruentemente erectos en sus respectivos asientos, ella comenzó a hablar sin dejar de repasarle los dedos con los suyos.

—Trata de no reírte, pero esta historia comenzó el primer día de clase.

El inevitablemente se rió, y contagió la risa de ella. Ahora eran realmente como dos viejos compinches haciéndose bromas.

—Me acuerdo de lo que tenías puesto ese día: una camisa a rayas y un saco de tweed color carbón. La corbata era gris, igual que las rayas de la camisa. Te encanta el gris.

—Qué desperdicio de tu atención. ¿Te acuerdas qué dije en esa clase?

—No tanto —dijo ella, con picardía—. Espera, sí: dijiste algo interesante respecto del pasado y del presente; dijiste que todo pasado es un presente *acumulado,* porque nadie puede contemplar el pasado desde el pasado. O algo así. Me dejaste pensando. Pero igual que el pasado contemplado desde el presente, yo no podía retener esa idea sin pensar en ti, en la cara de resignada convicción que pusiste al decirlo. Recuerdo que me dije: "Me gustaría conocer bien a este hombre. Me gustaría no tener que aprender, sino saber. Me gustaría estar ya casada. Me gustaría estar con él."

—Tú también estás hablando ahora del pasado desde el presente. Lo deforma la situación actual, tú y yo con las manos juntas.

—Siempre deformamos las cosas, no podemos evitarlo,

¿no es cierto? Esa es tu propia idea. ¿Qué puedo hacer yo? Nada.

—Nada, en efecto. Pero debes ser consciente de ello.

—Sí, profesor —dijo ella, riéndose tan alto, que él le hizo un gesto de moderación con la mano; ella obedeció y continuó hablando en voz baja—: Después de ese primer día no sé bien qué fue pasando dentro de mí. Pero sentía que estaba resistiendo algo que crecía y crecía. Cuando nos encontrábamos en los pasillos y me saludabas, yo temblaba. ¿Notaste que yo llegaba a tu clase cada vez más temprano, usualmente la primera?

—No, lo siento. ¿Por qué? ¿Para tratar de hablarme a solas?

—No, no me atrevía. Quería observarte, ver cómo eras fuera de clase. Tu conducta cambia cuando comienzas a hablar. Primero eres algo reservado, después los demás son los que tienen miedo de hablar contigo.

—Es posible. Lo admito, pero me gustaría no saberlo.

—Bueno, ya lo sabes —dijo ella con un humor exultante que daba un aire de irrealidad a sus confesiones; hizo una pausa y continuó con una voz excitada—. Lo que pasó luego es que me encontré pensando más y más en ti, imaginando cosas, tratando de evitar otras, recomponiendo algo con retazos de aquí y de allá, pero todo con un designio en el que tú eras la figura central. Estudié como una loca para el examen; quería impresionarte, fíjate la tontería que llegué a pensar. Cuando vi mi nota, sentí como si alguien me hubiese empujado a un abismo. Tuve primero una depresión espantosa; la única persona con la que no quería fallar era contigo, y había fallado del modo más lamentable. Te odié, te insulté desde mi cama mojada de lágrimas, no dormí noches enteras, tramé venganzas infantiles; en fin, convertí el asunto en algo de vida o muerte. Luego, no sé cómo, me serené un poco y pensé que mi error era no haber visto que *tú* habías cometido sencillamente un error. Después de sentirme insultada, preferí sentirme víctima de un juicio sin fundamento: un problema de derechos, no de sentimientos. Una noche soñé algo extraño: soñé que tú me decías —estábamos en una piscina y el examen flotaba sobre el agua, diluyendo lo que yo había escrito— que lo habías hecho por amor a mí, para atraerme de un modo inverso, igual que los enamorados que pelean porque saben que se necesitan con más fuerza. Creo que esa opción absurda fue la que me decidió a venir aquí; cuando conversamos me di cuenta de que la teoría del sueño era una total idiotez: tú estabas más lejos de mí que nunca, dictaminando que yo había hecho mal esto y lo otro. Volví a odiarte; volví a pensar que te mantenías terco en un error, porque te daba vergüenza o pereza admitirlo delante de mí. Me molestaba que no te dieses cuenta de eso y que tampoco te dieses cuenta de que yo ya te quería. Parecías tan ciego...

—¿Me querías?

—Te quiero. He tratado de convencerme de lo contrario, pero no puedo.

—Lorena, lo que me dices por cierto me halaga, despierta en mí una pura vanidad, pero por otro lado me entristece. ¿Sabes por qué? Porque yo no tengo nada que ver con la persona que tú dices amar: has errado el blanco...

—Otra vez —dijo ella, con cierto temor en los ojos.

—Todo está ocurriendo aquí —dijo él, clavándole un dedo en la sien—, pero tú crees que es algo real que puede unir a dos personas reales. Tú no me quieres a mí: quieres a alguien que has inventado y al que has decorado con mis gestos o mis palabras o mis camisas a rayas. Lorena, yo soy *otro*, y tú no lo conoces en absoluto. ¿No te das cuenta?

Los ojos de ella se habían quedado fijos en los suyos, completamente incrédulos; con curiosidad, con cierto pesar luego, vio el lento proceso por el cual esos ojos se humedecieron y se convirtieron en dos micas tristes, remotas, más allá de todo consuelo. Desde niño, él siempre se había maravillado de que las palabras de una persona pudiesen causar lágrimas en otras, generalmente mujeres. Los daños que uno hace sin querer podían tener una desproporción grotesca, que sólo dejaban indiferentes a los más cobardes. Sintió pena por Lorena, sintió pena por todas y también por él mismo, tan inútil en situaciones como éstas. Pensó en Bárbara joven

y en sus lágrimas que resbalaban por sus mejillas, enfrián-
dose como goterones de cera, que él besaba; lágrimas de miedo de que él la dejase, de que le estuviese mintiendo. Ella había vivido en esa angustia incluso cuando no se habían casado y eran tan egoístas e irresponsables, y hacían el amor
en la playa, de noche (aunque sabían que era peligroso, más
por la policía, que por los asaltantes), con un frenesí que
no sabían cómo alcanzaban, ella tirada de espaldas, aga-
rrando a cada espasmo puñados de arena que se escurrían
entre sus dedos, su amplio abrigo a cuadros completamente abierto y haciendo las veces de cama, ya sin vestido ni ropa
interior desde que salía un poco a escondidas de casa (todos esos riesgos simplificaban después las cosas, porque
no había nada que deslizar ni desabrochar ni recoger antes
de irse), los dos como ladrones inexpertos que empezaban
tarde su jornada, demorándose más en planear que en actuar.
Un resumen brutal de esos años sería decir que él eyaculaba
y ella lloraba, sintiendo en ella misma un placer rodeado
de un terror que él indagó pero nunca supo bien en dónde
se originaba. Miró a Lorena, quieta como si él estuviese
haciendo un apunte de ella; los ojos seguían manando esa
agua triste y resentida. Lo único que se le ocurrió fue darle
otra vez un kleenex.

—Eres frío como una piedra —le dijo ella, la voz tragán-
dose enteros los sollozos—. Estás feliz de que esta confesión
no te conmueva en absoluto. Te sientes mejor ahora, sin
duda.

El se revolvió en su sillón. Lo que pensó contestarle se
iluminó como una llamarada dentro de él: "Oh, cállate, no
sabes ni lo que dices. Eres una chiquilla caprichosa que bien
se merece una paliza en el trasero." Se contuvo, sin embargo,
porque percibió que perder la calma era caer un su juego;
ella quería probarle que él estaba fingiendo, que la máscara
de compostura podía resbalar. Pero no había máscara. Se
concentró en lo esencial de la discusión:

—Te lo dije: yo no soy quien te imaginas. Soy otro, sencillamente.

—Quiero sentir a ese otro, el que hizo comenzar todo en la

primera clase. Ese eres tú, no lo niegues.

La voz tenía algo de ruego, a medias entre la impaciencia y la fe. El percibió que los huesos no lo soportaban bien; estaba fatigado, no quería discutir más. Casi se sintió contento de declarar vencedora a Lorena:

—¿Qué quieres de mí? ¿Acostarte conmigo? ¿Que pasemos juntos un fin de semana? ¿Escaparnos de viaje?

—No, ahora sólo abrazarte. Quiero saber qué es lo que siento al abrazarte.

El avanzó hacia ella mientras pensaba: "Qué idiotez," pero Lorena lo detuvo y en vez de abrazarlo como había prometido, lo devolvió a su silla y pacíficamente se sentó sobre sus rodillas poniendo la cabeza junto a su cuello, sin besarlo. Ninguno de los dos dijo nada por un rato, como si se hubiesen olvidado uno del otro, como si estuviesen solos imaginando que no lo estaban. El se sintió inesperadamente cómodo, en perfecta calma, sin esperar nada. Se movió un poco para estar del todo seguro que ella no se estaba quedando dormida; la boca de Lorena se abrió y le dijo algo a la oreja, pero él no entendió; en vez de repetirlo, ella empezó a lamerle metódicamente el borde del pabellón. El estaba ligeramente distraído, observando el suave oscilar de las piernas de Lorena, colgando al lado de las suyas; la postura era la de una colegiala siendo mimada por su maestro, o tal vez seducida por él. ¿Cómo se llamaba esa famosa película...? Sintió la fragancia vegetal prendida de sus cabellos y deslizó lentamente su mano izquierda bajo la falda, aprovechando el amplio acceso que brindaba la abertura, y acarició por primera vez los muslos; al principio, creyó que Lorena llevaba medias, pues la piel tenía una turgidez, un efecto elástico casi artificial, pero después, al tocar más arriba lo que podría ser la huella de una vacuna, supo que no, que ésa era la consistencia de su piel, como un forro de terciopelo cubriendo un pájaro vivo. Ella se colocó ligeramente de costado, como invitando a la mano a seguir avanzando en su camino a ciegas pero fatal, hasta palpar un oscuro pétalo de seda, y eso fue para él como si hubiese tocado un timbre de alarma: olfateó el peligro, percibió su erección, el olor dulzón que emanaba de su propio cuerpo y el vaho marino de ella; advirtió que estaba ardiendo de deseo (era así como ella quería verlo) y que lo que estaba ocurriendo en esta habitación era totalmente delirante. Se propuso terminar con la escena de un modo práctico: sacó las manos de las piernas de ella, atrapó su cintura y le dio un beso íntimo pero rápido, más cariñoso que apasionado. La empujó de sus rodillas; Lorena se resistió.

—¿Qué pasa? —dijo ella, igual que si alguien hubiese interrumpido en lo mejor de la película.

—Nada: me estoy despidiendo. Aquí acaba la historia: fin. Nos hemos abrazado, ¿no es cierto? Nos hemos besado, además, y te he acariciado como si fuese tu enamorado. Ahora, basta: no pienso convertir mi oficina en una casa de citas.

—Vamos a otro lugar, entonces.

—No entiendes: esto es todo lo que va a haber de privado entre tú y yo. No porque no me gustes —te habrás dado cuenta que sí— o por cualquier otra razón egoísta, sino precisamente porque tus sentimientos me importan lo suficiente como para dejarte seguir adelante con un error que, en muy poco tiempo, vas a lamentar. Si yo dejase que las cosas siguiesen su curso, probablemente no tendríamos sino un típico affaire de unas cuantas semanas, quizá meses, con rápidas acostadas frenéticas, muchas mentiras notorias para todos menos para nosotros, mucho drama barato con pistas falsas y nombres supuestos en hoteles apartados.

—No me importa.

—Claro, porque crees que eso hace la cosa más fascinante. En realidad, la hace más fatigosa. Sólo eso bastaría para hacernos reñir, y yo no quiero reñir contigo, aunque el precio sea no hacerte el amor. No me gusta hacer cosas que no tienen sentido, que están muertas desde que nacen.

—Ya está, ya te salió el profesor otra vez. Siempre buscas por un significado en todo. Yo te quiero; eso me basta. No pregunto más. Las emociones no tienen significado.

—Pero tienes que evitar las que te hacen daño, las que te harían sentir mal, no delante de tu profesor o de tus amigos, sino delante de ti misma. En el fondo, es extraño que esté hablándote en estos términos, porque si observas bien estoy evitando la destrucción de la imagen que tú has creado a partir de mí. Juntos, la haríamos saltar en pedazos, y los restos caerían sobre ti; separados, tú podrás vivir con ella y con tu emoción el tiempo que quieras, si es que eso sirve para algo.

—Qué tontería: si no la comparto contigo, no existe. Se irá evaporando, como todo. Sólo proteges lo que vives, lo que tienes contigo.

—No pretendo que compartas mi idea *ahora*. Te pido que nos demos un respiro; unos días, una semana, un par de semanas. Y luego volveremos a conversar. Tú y yo tenemos que poner orden en nuestras ideas. Ha ocurrido mucho en un solo día.

El le dio dos palmadas cariñosas en las nalgas y firmemente la hizo levantarse. Le sorprendió que ahora no opusiese mayor resistencia: abandonó sus rodillas sin hacer pucheros. La vio arreglarse la falda, echarse el pelo tras las orejas. No parecía enfadada; en realidad, él no le había dicho *no*; le había dicho *esperemos*. Pero ella intentó un último ataque.

—¿Cómo te llevas con tu esposa?

—Muy bien. Nos queremos mucho.

—No pareces feliz.

—Que yo la ame no quiere decir que eso me haga feliz. Uno no se casa para ser feliz, sino para tener alguien que nos consuele. No quiero perder también eso. Quiero que dure lo más posible. Y no deseo ponerlo en peligro por algo que tiene que acabar muy pronto. Tu pasión es intensa, pero momentánea, y tú lo sabes. Me quedaría dos veces solo.

Ella se volvió a mirar la foto de Bárbara sobre su escritorio y dijo, sin que él supiera a quién se refería:

—Pobre —hizo una pausa y se miró a sí misma, comparativamente—: Pobre yo también. Estoy toda mojada y ahora tengo que escuchar una clase de Prehistoria, con tú sabes quién —e hizo un gesto que fue una caricatura instantánea del profesor Delgado—. Oh, para qué me metí a estudiar Historia, para qué te conocí. Mi vida no hace sino enredarse más. La detesto, me detesto yo misma.

—Sería peor si te hubiese dejado seguir adelante. Y peor más tarde.

—¿Qué debo hacer ahora? ¿Tratarte otra vez de *usted*? ¿No volver más aquí?

—No. Sólo debes esperar. Ambos debemos esperar.

—¿Esperar qué?

—Eso no lo sé. No puedo predecir nada. Sencillamente hay que esperar, protegernos abriendo un paréntesis.

—Te envidio: para todo tienes una respuesta.

—Esta situación, tú misma, provocan mis respuestas. En parte son tuyas, lo que significa que estamos aprendiendo.

—Estoy harta de lecciones. Ya me has dado muchas y no sé qué hacer con todo lo que "aprendo", como dices. Lo que sé es que he hablado dos veces contigo y que he llorado también dos veces. Es cruel.

—Sí, es cruel. Lo siento mucho.

—Preferiría no tener que inspirarte lástima —dijo ella, cogiendo su bolso y colgándoselo al hombro; no estaba tan resentida con él, como consigo misma, con su debilidad y su desconcierto. Seguramente, pensó el profesor Morante, ella no está acostumbrada a que sus amigos la hagan esperar; Lorena debía salir al cine con éste o meterse a la cama con aquél cuando tenía deseos, en un ciclo de estímulos y satisfacciones inmediatas. ¿Qué haría ella esta noche? Rogó que, sola o acompañada, pudiese dormir profundamente, que olvidase un poco que había protagonizado esta escena. Se preocupaba por ella y por él; se preocupaba por sus clases, se preocupaba por todo. Era horrible ser profesor.

La puerta ya estaba abierta y los dos parados junto a ella. El la abrió un poco más para hacerle ver que tenía que salir, pero Lorena, tras acomodar distraídamente el botón metálico de SOLIDARNOŚĆ en la correa de su bolso, satisfizo un último impulso: cerró por un instante la puerta con su cuerpo y le dio un húmedo beso de despedida, que él aceptó con verdadero placer. El cuerpo tenía un conjunto de leyes totalmente independientes, cuya fragilidad contradecía su mecánica; deseó no ser quien era, sino quien ella creía, y ceder a esa invitación que le tendían la boca, la piel, el calor de Lorena. La brevedad del beso hizo posible tolerarlo. Ella volvió a abrir la puerta; justo cuando se deslizaba hacia afuera —otra vez sonriente, otra vez fresca como cuando llegó— giró la cabeza graciosamente y le dijo con alegría:

—Napoleón era un hijo de puta, pero el tipo me gusta.

La foto en color mostraba al nuevo ángel británico del Departamento, su esposa, una pequeña irlandesa pecosa, y al Decano, cuya cara afilada y metida entre los hombros enjutos le daba un aire de ave de rapiña, en una reunión social en casa de alguien; los rostros estaban enrojecidos por el vino o el scotch y habían sido sorprendidos por el flash en el momento en que los tres parecían guiñar o bizquear un poco. Debajo, una leyenda escrita sobre una tirilla de papel pegada a la foto, decía: "Inglaterra les encanta, pero Irlanda los vuelve locos." Era una de las fotos que circulaban, regular y anónimamente, por el Departamento, como postales eróticas entre las manos de colegiales. Lo de anónimas era parte del chiste, porque todo el mundo sabía que su autor y mensajero era el profesor Delgado, que en cualquier reunión o fiesta andaba con una camarita japonesa colgada al cuello, disparando con una precisión no de fotógrafo, sino de pícaro. El llamaba a sus fotos trucadas por los letreritos de doble sentido, una manifestación del "criptoerotismo académico" y una estrategia para socavar el odiado *establishment*. El profesor Morante las consideraba a veces como una especie particular de la pornografía, quizá peor que la normal, porque agregaba a la manipulación, la burla: denigraba sin exhibir siquiera cuerpos desnudos, envuelta en un velo de respetabilidad que cada uno celebraba con una carcajada seca en la privacidad de su oficina o en la ácida atmósfera de los baños. Esta la había encontrado temprano en su casillero y sólo ahora, ya muy tarde en el día, había tenido tiempo de echarle un vistazo. El profesor Morante hizo lo que siempre hacía: la colocó en un sobre y es-

71

cribió encima, con caracteres bien legibles y reconocibles: "Anónimo, para el Profesor Delgado." El día había sido activo y agradable; como pocas veces solía ocurrirle, salió convencido de que su última clase había sido bastante útil, no por haberla dictado como la había preparado, sino porque pudo improvisar más; pero no podía improvisar si no la preparaba bien.

Tenía que admitir que el comportamiento de Lorena en los días que siguieron, había sido impecable: la chica mantuvo en clase una actitud exactamente objetiva frente a él, sin hacerle sentir mucho su presencia pero tampoco sin rehuirle como si estuviese herida. En una oportunidad hizo incluso un par de estupendas preguntas, que sirvieron para hablar de cosas más interesantes que el tema mismo de la clase. Lo miraba como si al dirigir sus miradas hacia él viese otra cosa. El le agradecía esa delicadeza, esa fuerza para mantener la situación en un terreno neutro, tan necesario entonces. No recordaba en qué momento su reacción a la conducta de Lorena provocó una iluminación retrospectiva de todo lo que había pasado, como si alguien hubiese encendido violentamente todas las luces en una sala oscura donde él estaba tratando de adivinar formas, volúmenes, sentidos: la sala no era como él había pensado. Ahora él tenía que controlar un impulso, que había venido de algún lado desconocido; lo sentía trabajando dentro de sus músculos y su mente, debilitándolos. Sólo supo que estos últimos días —los días que interpuso entre él y ella— no le sirvieron para olvidar lo que había ocurrido, lo que era parte de su plan, sino para concentrarse en ello de una manera insidiosa: todo el tiempo, hiciese lo que hiciese, la memoria lo hacía volver a ese día, cuyas imágenes chisporroteaban y entrechocaban dentro de él mismo, como insectos alrededor de una lámpara. El problema había dejado de ser Lorena y ahora era él. Notó también que había adquirido un sueño escandalosamente pesado —el sueño de un obrero embrutecido por una jornada cargando piezas de plomo sobre sus espaldas— del que salía sobresaltado, enredado por cosas soñadas que le exigían seguir durmiendo y de las que no lograba sino recordar fragmentos triviales: la cara de un muchacho que le pegó cuando él era niño, un mercado completamente vacío, Bárbara riéndose hasta que la orina le corría por los muslos.

De pronto, percibió que todo su malestar y su extrañeza provenían de un solo hecho: estar resistiendo inútilmente la verdad, es decir, la versión de Lorena. Su error consistía en haber tratado algo minúsculo como si fuese trascendental, y al hacerlo así, lo había empeorado. Bloqueando el impulso de Lorena, lo había congelado en el tiempo, eternizándolo: como no pasaba nada, nunca sabría qué habría pasado. En una semana, en lo poco que quedaba del semestre, la loca flama, el pueril ardor que se había encendido en ella, se habría disipado y ambos serían libres otra vez. Lo más probable era, además, que Lorena desapareciese con el semestre y no la viese más. En un año, ni él ni ella se acordarían de sus nombres; en cambio, ahora cada minuto del encuentro anterior parecía rodar en su mente como sobre un rastro de vidrio molido. Aquella escena era una manifestación de su orgullo y de su terquedad; su gesto de no enredarse con una chiquilla era insincero: tenía que ver con un concepto de sí mismo del que estaba inseguro pero que se negaba a abandonar. ¿En nombre de qué? ¿Porque creía que ella estaba profundamente equivocada, como en el examen, que él sabía todo de él y de ella? ¿Por qué había juzgado las ilusiones de Lorena como si fuesen perversiones de la inmadurez? ¿Por qué no iba él a aprender de alguien más joven? Trató de subsanar su error, aceptando como viable lo que consideró un error de otro. No era que ahora dejase de ver la improbabilidad de la situación. No era que quisiese imaginar algo real, sino más bien realizar algo imaginario, a través de Lorena. El reto, más que su cuerpo, lo tentaba.

Se sintió reconfortado cuando encontró en su casillero un sobre con una diminuta tarjeta celeste que simplemente decía: "Vie 9, 7:30 pm. En el Europa. L."

El había llevado su envejecido ejemplar de *La Chartreuse de Parme,* para distraerse leyéndolo por centésima vez si tenía que esperar a Lorena; hasta había elegido un pasaje:

ese maravilloso momento en que Fabrizio ve pasar a Napoleón en Waterloo, pero no puede distinguirlo porque está un poco borracho. Siempre lo asociaba con la obertura *1812*, cuyo final seguramente era como un ciego de nacimiento debía imaginarse los fuegos artificiales. Pero no tuvo tiempo: cuando él llegó al "Europa", cinco minutos antes de la hora, Lorena ya estaba allí, semihundida en uno de los mullidos asientos fijos del café que corrían como una C alrededor de las mesas. Estaba íntegramente vestida de negro, salvo por los filos color lacre del vestido; hasta el collar tenía cuentas hechas con un material de color bituminoso. Lucía espléndida, con el pelo ahora recogido hacia atrás y el sesgo oriental de los ojos acentuados por una sombra azulada que daba mayor pesadez a los párpados. El volvió a percibir el aroma vegetal que emanaba de su pelo. Le dijo:

—Estás elegantísima. No podía imaginarte vestida de negro.

Mientras lo decía, pensó que en cada encuentro, Lorena lucía distinta, como si fuesen tres personas tratando de pasar por sólo una: el casacón, la falda con la abertura, ahora esto.

—Tengo una fiesta luego, muy temprano —explicó ella—. Tenemos que hablar rápido.

—Bueno, entonces pidamos unos cafés y conversemos.

En cuanto llegaron los cafés, ella, tras preguntarle algo sobre un libro que él había mencionado en una clase reciente, cambió el tema abruptamente y en un tono muy calmado empezó a hablar:

—Bueno, creo que por segunda vez consecutiva descubro que tú tienes la razón. Primero fue el examen, ahora nosotros dos.

Lo dijo y de inmediato él sintió las manos de ella buscando las suyas bajo la mesa; lo contempló en silencio y luego continuó:

—No me entiendas mal. Sé que te quiero, sé quién eres tú. No se trata de eso, de que ya no crea lo que te dije antes. Tú no has cambiado para mí. La que ha cambiado soy yo.

—No me extraña en absoluto. Cuando aceptaste tan razonablemente mi explicación sobre tu examen, me di cuenta de eso. Sabes reconocer tus errores. Sigue.

—Tú me has dado una lección, otra lección más —dijo Lorena y sus ojos despidieron una chispa de ternura—. Me has hecho ver que yo no soy la persona que creía ser. Me había acostumbrado al amor sin dificultades. Oh, bueno, siempre hay dificultades. Pero hablo de *grandes* dificultades; yo sólo tenía experiencia del otro, el que simplemente se da y se recibe. Nunca nadie me había dicho *no,* ¿sabes? No es que quiera alardear, pero he tenido a los que he querido; si los problemas se complicaban demasiado, salía fácilmente del aprieto. Me gusta tener un compañero, pero no dependo de nadie para eso; no me parece malo estar sola. Creo que por primera vez sentí el horror, el frío de la soledad cuando me largaste de tu oficina.

—No te largué, Lorena. Te hice ver...

—Bien, no me largaste. Pero yo me sentí peor que si me hubieses dado una bofetada. No es tu culpa, ya lo sé. Después me di cuenta de que era la mía. Uno no puede vivir siempre en ese mundo sencillo y cómodo donde todo es posible, como en los cuentos de hadas. Mi amor es real, la que no es real es Lorena, ésa que creía que te podía imponer sus deseos y sus sentimientos como si tú fueses un espacio vacío para imprimirlos allí a voluntad. Lo que siento por ti es profundo, pero hay una distancia entre lo que sentimos y lo que hacemos a una persona, sobre todo si la necesitamos, como yo a ti. No te he respetado, ése es el problema, y lo he hecho al mismo tiempo que te hablaba de cariño y admiración. Lo que he aprendido es que hay límites, que no voy a vivir y realizar todas mis pasiones, como antes creía. Ser verdaderamente adulto no es ni fácil ni agradable, pero ¿qué remedio me queda? Mejor empezar ahora, tratando seriamente. Por otro lado, he estado revisando lo que fueron todas mis relaciones importantes antes de llegar tú, y me he visto obligada a admitir algo: nada ha durado mucho, por alguna razón que ignoro. ¿Soy una inestable? ¿Una insatisfecha? ¿Tuvieron mis amigos la culpa? ¿Mis padres? Y yo, ¿no la tuve nunca? Hay algo raro allí, que me intriga y que voy a indagar. No quiero agregarte a esa lista de fantasmas, emergiendo de un fondo de cenizas amargas. Amándote, yo sé lo que voy a perder. Qué digo, *empecé* perdiéndote; por eso mi desesperación, mi bochorno. Me pregunto: ¿no era mejor ser sólo amigos? Amigos de verdad; alguien a quien una siempre puede recurrir y hallar consuelo o sencillamente una mirada atenta, sin las complicaciones que trae la cama, el melodrama del amor físico, tan exigente y tan necesario, maldita sea. Me parece que *consuelo* fue la palabra que usaste cuando hablabas de tu esposa. Bueno, ahora yo también deseo lo mismo...aunque no seas mi marido. No quiero interferir con tu vida privada, pero no quiero vivir la mía sin saber que tú estás allí; eso me ayuda mucho. Tengo tántos proyectos, tántas cosas por hacer y decisiones que tomar. Sólo pensar en la cantidad de errores que voy a cometer me da miedo. ¿Me ayudarás a no cometerlos, a equivocarme menos?

El la había escuchado con una atención tan prolija por cada palabra, que había perdido un poco la secuencia de lo que ella estaba diciendo: estaba más seguro del tono que del significado. Pero entendió las líneas generales: Lorena le había hecho caso, había reflexionado como él le pidió. Y lo había hecho con más lucidez que él: mientras él había estado acariciando la idea insensata —ahora lo veía con total nitidez— de no resistir el flujo de una pasión indudable pero absurda, ella lo había remontado y había cambiado su curso, volviéndolo un camino transitable, útil. Partiendo de una situación irreconciliable, Lorena había accedido a una zona de equilibrio, que él había perdido, al menos por unos días. Ahora, obligado a volver a ese centro, él estaba indeciso entre acelerar el paso o tomarse más tiempo para no extraviar el rumbo. No sabía tampoco si estaba contento o decepcionado. Pero respondió:

—Claro que sí, por supuesto, Lorena. No sé cuanto tiempo andarás por aquí, pero siempre puedes contar conmigo. No sabes cómo aprecio lo que me has dicho; está más allá de mis expectativas. No estoy seguro de qué puedo hacer por ti, ni de lo que vale mi opinión, pero si me la pides, la tendrás.

Y si estás lejos, puedes escribirme. ¿Qué piensas hacer el próximo año?

—No lo sé bien todavía, ése es uno de los problemas. Seguir estudiando aquí es una posibilidad. Pero esta ciudad me mata: me hace sentir vacía, humanamente más pobre, nadie. Quizá me vaya a trabajar a otro lado. O combine ambas cosas, tal vez. Antes de la Navidad tomaré una decisión. Tenemos que conversar de eso.

—Cuando quieras. Voy a pensar un poco en el asunto, a ver qué se me ocurre.

Las manos de Lorena, que se habían aflojado algo sobre las suyas, las apretaron otra vez con afecto. Los cafés se habían enfriado casi sin haber sido tocados; el mozo les ofreció otra cosa, pero él pidió la cuenta a sugerencia de ella. Al levantarse, vieron en la mesa vecina a una pareja de muchachos, ambos bastante gordos, besándose con las bocas llenas pero con evidente ardor.

—Una vez más tengo que agradecerte —dijo Lorena— y al mismo tiempo pedirte disculpas por la escenita de la vez pasada. Errores, lecciones, excusas, agradecimientos: ya se ha vuelto un hábito entre nosotros. La única diferencia es que esta vez no me has hecho llorar, lo que quizá indique que las cosas van mejorando para mí. Oh, qué raro es todo contigo, no podía imaginarlo... Creo que tengo que irme. Se me hace tarde y mi fiesta es muy lejos de aquí.

—Espero que te diviertas.

—Ojalá. Yo no tomo, pero esta vez voy a buscar un buen trago, a ver qué pasa. Sólo uno, eso es suficiente conmigo.

Salieron juntos y él la acompañó una cuadra, hasta donde ella tenía estacionado su Volkswagen amarillo; el lugar era oscuro, pero los faros de los autos que pasaban iluminaron por un momento la insignia pegada en el parachoque posterior: "U.S. FUERA DE EL SALVADOR". Al sacar las llaves de su cartera, Lorena lanzó un gritito alegre:

—Uf, casi me olvido de darte algo. Espero que te guste.

Sacó de la guantera una caja plana y rectangular bien envuelta en papel de regalo. El se quedó un instante con el paquete en la mano.

—Ábrelo, quiero ver qué cara pones cuando lo veas.

Adentro había una corbata. Ella encendió los faros del Volkswagen para que pudiese apreciarla bien: era una corbata casi enteramente cubierta de mínimas flores de color lila con unos visos que parecían plateados. El dibujo era agradable, pero él dudó que alguna vez se pusiese algo tan vibrante alrededor del cuello.

—¿Te gusta? —preguntó Lorena, ansiosamente.

—Sí, es un poco especial, pero es linda. Gracias.

—Como siempre te vistes de gris y todas tus corbatas son a rayas, pensé que un cambio sería bueno. Estoy segura de que te quedará estupenda.

Se acercó a él con lentitud y cuidado, como si estuviese probando la temperatura del espacio que los separaba. Le dio un pequeño beso, poniéndole la mano en la barbilla. El dudó un momento, sin retribuir adecuadamente; recordaba cada una de las palabras que ella acababa de decirle. Pero Lorena salvó el vacío y, haciéndolo apoyar en el Volkswagen, tomó las manos de él y las colocó sobre sus propias caderas (bajo la falda, los dedos de él tropezaron con el elástico del bikini, tenso como la cuerda de un violín) y luego las retiró con la misma suavidad.

—Para que no me olvides —dijo ella, plácidamente—. O tal vez para que me olvides. Porque ésta es la última vez que harás eso. Nuestra verdadera relación, la más duradera, comienza aquí. Estoy tan contenta.

—Gracias —dijo él y no quiso agregar nada, aunque su agradecimiento parecía ser más vasto.

Las luces de un auto les echó una luz vaporosa y se separaron.

—Ahora sí me voy —dijo Lorena—. Te veo en clase. Ya leí todo lo que pediste.

—Muy bien. Te haré alguna pregunta.

—Estoy lista —dijo ella, con toda seguridad.

El auto partió roncando; él agitó lentamente la mano y ella lanzó el grito que la primera vez no había reconocido:

—¡Hey, hey! —y se alejó velozmente, con un ruido de estornudos en el escape.

El se quedó un rato mirando el espacio vacío que había dejado el Volkswagen, como si allí hubiese perdido algo muy pequeño, irrecuperable entre las sombras. Luego, volvió a abrir la caja que le había dado Lorena y contempló la corbata. Bajo las luces fugitivas de la calle, la vio distinta, menos brillante. Echó a caminar pensando que tal vez sí, que no había razón para no ponerse la corbata un día de éstos.

Objetos persistentes

Objetos persistentes

El hombre recuerda que, cuando era niño y estaba en el colegio, hizo una simple operación aritmética en una hoja de papel cuadriculado y que, de alguna manera, esa hoja desapareció y no pudo encontrarla jamás, lo que debió haberle creado algún problema entonces, porque siempre la imagen del papel volvía en sus recuerdos.

Que agregue ahora que ese hombre soy yo (quienquiera que él sea) y que, estando en otra ciudad, un día muy ventoso, en el que veía cómo se formaban alrededor de mí remolinos que levantaban polvo y hojas secas, mi pie derecho pisó un papel que resultó ser el mismo papel de cuando era niño, con el mismo grueso cuadriculado y la misma operación matemática escrita con rala tinta azul, ya un poco corrida y con manchones de lluvia, y con las esquinas dobladas y amarillentas por el sol, pero perfectamente reconocible, inconfundible, el mismo objeto por tantos años deseado; todo esto va a resultar absolutamente increíble, desechado como físicamente imposible, aceptado sólo como una absurda invención.

Eso no me sorprendería; lo que me sorprende es que pueda mirar otra vez mi letra de niño y saber que es mía, tan trabajosamente dibujada y como colgada de los cuadrados, con mi firma debajo (yo firmaba todo entonces, con una rúbrica imitada de mi padre), y que el resultado de la operación sea correcto y que me ayude a resolver un inesperado problema financiero que me acaba de surgir, inesperadamente, esta semana.

Tres buenas amigas

Tres buenas amigas

A Mario Vargas Llosa

"Llega el viernes otra vez y me siento tan cansada como si me hubiesen golpeado el cuerpo. Subo las escaleras de esta casa arrastrándome. Lo raro es que cuando me tiro sobre la cama y me pongo a leer cualquier revista o periódico, el sueño se esfuma y yo, que pensaba caer rendida en la cama, me paso horas dándome vueltas y más vueltas sin poder dormir. Pero el cansancio no se va: se queda aprisionado en mi cuerpo y cuando me levanto al día siguiente, insegura de cuántas horas realmente dormí (siempre creo que muy pocas, siempre creo que el sueño ha aprendido a engañarme), todavía está allí, intacto y como congelado. En estos últimos meses, mi vida consiste en cargar con ese peso dentro de mí, que nada alivia. Peor todavía cuando estoy en mitad de mi ciclo, porque entonces me hincho y siento el cuerpo como hecho de grumos. Los pensamientos se me hacen borrosos y tengo como punzadas en las piernas. Lo único que hago es comer más, llenarme el estómago de bizcochos y de chocolates con nueces. Eso me calma un poco. Todos, hasta mi madre, creen que exagero, que estoy un poco neurótica; pero es rigurosamente cierto: soportar mi cuerpo en estos días es una tortura. Nora, en cambio, sí me cree y por eso me gusta contarle lo que siento, y me da confianza como si fuese mi médico. A ella no le pasa lo mismo, salvo algún espasmo de vez en cuando, pero ha aprendido a no hacerles caso. Ella combate su tendencia a subir de peso haciendo un poco de gimnasia, y me pide que haga lo mismo. He probado todo, pero nada ayuda, salvo los pedazos de bizcocho duro y los chocolates. Nora es comprensiva, sabe escuchar, abriendo esos ojos alegres, entre grises y verdosos, que parecen un par de hojitas en otoño. Vivo con ella en este mismo sitio hace seis años. Seis años ya, Dios mío, cómo pasa el tiempo. Es fácil vivir con ella porque es metódica y nunca —bueno, casi nunca— sale con sorpresas. No me gustan las sorpresas, generalmente son desagradables. A Nora la conozco desde el colegio y siempre hemos andado juntas, salvo una época en la que ella se fue a vivir con alguien, muy lejos de aquí, a hacer algo que nunca supe bien qué era. Esos años de ausencia la cambiaron mucho, más de lo que ella cree, porque le gusta pretender que allí no ganó la experiencia que la convirtió en el ser maduro que es ahora, sino que siempre la tuvo dentro de sí y que ni yo ni otras amigas de esa primera época supimos darnos cuenta. Creo que cuando habla de su infancia fantasea mucho, para aparentar que desde chica fue fuerte, que tenía una idea de lo que iba a llegar a ser. Yo no, yo he aprendido lentamente y sigo aprendiendo. Quizá Nora sea más inteligente, más apta para la vida que llevamos. En realidad, es ella la que organizó todo, la que me propuso la idea de vivir juntas, la que descubrió este lugar e hizo todos los tratos para conseguirlo. En esa época yo apenas conocía esta ciudad y Nora era la 'veterana'. Y sin embargo era apenas un año mayor que yo y me parece que ahora luce más joven. Es tan bonita, con su cara siempre iluminada por una especie de rubor que ella destaca con un maquillaje espléndido. Todo lo que usa para mejorar su rostro y sus manos de dedos largos y delgados como espárragos, le queda bien. Cuando se lo decía, ella se ponía incómoda porque le parecía que yo estaba exagerando un poco, tratando de adularla. Ahora he aprendido a no hacerlo. La quiero mucho, pero hay cosas en ella que no comprendo y que me obligan a mantener cierta distancia. Antes salíamos juntas con muchachos, e íbamos al cine o a tomar helados o simplemente a charlar a casa de amigos simpáticos, y a veces bailábamos y la pasábamos bien. Lo que ocurrió con Freddy cambió por completo las cosas. Freddy era un chico estupendo y además sabía cantar unas canciones preciosas; era tan alegre, tan buen compañero sobre todo cuando yo andaba con el ánimo caído o con los dolores de antes del período poniéndome a la miseria. El sabía (él entendía) y me compraba chocolates, los más finos que podía conseguir, suizos o italianos, y me los daba envueltos en sobres aéreos, como si fuesen paquetes certificados provenientes de los países más exóticos; dibujaba unas estampillas con signos árabes u orientales y me los dejaba en la cartera cuando yo no me daba cuenta, escribiendo mi nombre a propósito con faltas de ortografía. El sabía de mí más cosas de las que sabía mi propia madre; hacía preguntas precisas y daba consejos también precisos. He tenido uno o dos amigos más apasionados que él, pero Freddy era mejor en el sentido de que nunca dejaba de jugar, incluso cuando hacía el amor, incluso en lo más alto del deseo. No sé bien cómo explicarlo: creo que hacía el amor para reírse conmigo, y yo también me reía sin razón aparente. El decía que le gustaba ver mi lengua —'carnosa como un pedazo de filet mignon,' según sus propias palabras— moviéndose dentro de mi boca abierta por las carcajadas. No recuerdo haberlo visto entonces triste o deprimido; su papel en la vida parecía ser el de entretener, el de entretenerme. También entretenía a Nora, pero a ella le parecía que Freddy era demasiado payaso, demasiado infantil. Un día, delante de mí, le dijo: 'Pórtate como un adulto,' mientras le entregaba una copa de vino. El no contestó nada en ese momento, pero luego de un rato lo vi tomando otra copa con Nora, y después los vi irse juntos. Anduvieron un tiempo como pareja, pero a ninguno se le veía muy contento; era como si con su relación cada uno estuviese probando algo al otro, o probándome algo a mí. Pero la cosa no duró mucho: Freddy volvió a salir conmigo y yo estuve contenta otra vez y no hice demasiadas preguntas. Sin embargo, Freddy ya no volvió a ser el mismo: tenía largos períodos de silencio en los que mecánicamente pulsaba una cuerda de su guitarra sin animarse a tocar nada en serio, y sonreía pero con una sonrisa distante y un poco falsa, de compromiso. No quiso nunca decirme qué había pasado y un día anunció que se iba de viaje, nos despedimos y no lo vi más. Pobre Freddy, si supiese que todavía lo recuerdo con cariño, dondequiera que esté... Nada de esto me impidió seguir siendo amiga de Nora, pero, claro, nos comunicábamos menos, sobre todo por su parte porque se hizo más reservada, menos abierta, aunque en otro sentido, sin hablar directamente conmigo, me dejaba saber cosas que antes guardaba para sí. Por ejemplo, no me decía que estaba saliendo con un chico, pero si tenía un problema con él me hablaba dándome todos los detalles como si fuese un caso en abstracto (aunque ella y yo sabíamos que no lo era). A pesar de que la quiero igual que antes, ya no la comprendo bien. Ahora pasa más tiempo hablando de sus cosas con Laura, mi otra amiga, que ha venido hace poco a vivir con nosotros, y que le gusta estarse en su cuarto como una reclusa, o caminar por el resto de la casa como si fuese una sombra. Hablan en voz baja y cuando yo entro se callan o cambian de conversación. Eso no me molesta, o he aprendido a que no me moleste: tengo cosas más importantes que atender y creo que las amistades nacen, cambian y mueren como las personas; yo también debo haber cambiado y no me doy cuenta. Pero creo ser una persona estable y no llamar mucho la atención sobre mí. Ese es el peor defecto de Nora: quiere estar siempre en el centro de la escena, quiere ser original y hasta sensacional. Esta casa es su vivo retrato. La primera vez que vi cómo la había pintado casi me caigo muerta: parecía que le habían regalado un tarro de pintura de distinto color para cada cuarto. El hall principal que se abre ante las escaleras tiene las paredes rosadas; el living tiene dos paredes de un color indefinible pero que luce anaranjado, y las otras dos tiran a durazno o algo así; el comedor es fucsia con paneles de plástico imitando madera de caoba; la cocina es felizmente blanca, salvo por los mostradores que están revestidos por una formica de imitación mármol con vetas doradas. Y no digo nada de las alfombras que han sido 'restauradas' o diseñadas por ella con pedacitos de otras antiguas alfombras, cada una de color más violento que la otra. Es como si la casa hubiese sido pintada por un loco o en un estado febril. Pero para Nora eso es 'moderno' y la mejor manera de remozar una casa vieja y de cuartos enormes y desvencijados como ésta. Lo único realmente moderno y bonito es la lámpara de cuello flexible que Laura trajo a la casa (ella tiene muy buen gusto en todo) y que da una luz difusa, que borra un poco los colores escandalosos del living. Creo que Laura la compró para complacer a Nora, para ganarse su simpatía. Claro, Laura se siente como si sobrase en la casa y llena de inseguridad. Y a Nora le gusta hacer cosas atrevidas o desafiantes, ya sea saliendo a bailar con sus vestidos ajustados o paseándose frente a las ventanas después de bañarse, apenas cubierta por una toalla en la cabeza y esos bikinis baratos de flores que compra por docenas, o hablando horas por teléfono, seduciendo a los muchachos con los que saldrá hoy o salió anoche, siempre distintos, siempre yéndose de viaje con ellos, metiéndose a la cama con ellos en hoteles lejanos o en cuartos prestados, bebiendo cocteles fuertes en bares oscuros, bailando hasta la madrugada, llegando a casa con los zapatos en la mano y bamboleándose un poco, la cara rubicunda encendida más por el alcohol y por una sonrisa de sonámbula, con la que se va a la cama sin siquiera quitarse el vestido. Para ella la vida es eso y yo quisiera saber si, en el fondo, va a...."

"Espero que Cristina venga esta noche con el dinero porque mañana mismo tengo el último plazo para pagar el alquiler de la casa. Me fastidia tener que pedirle lo mismo dos o tres veces, tener que escuchar sus explicaciones. ¿Qué puedo hacer yo? El alquiler está a mi nombre. Yo no puedo pagar con explicaciones o promesas. Si me echan a mí, nos echan a las tres, así es que mejor lo entienden de una vez por todas. Creen que porque gano más que ellas, tengo que cubrir sus obligaciones económicas; una vez lo hice con Cristina, pero ya no más. Es tan fácil abusar de alguien a nombre de la amistad, y tan difícil vivir juntas sin que una invada el espacio de las otras. Es como un juego de ajedrez: hay que calcular la próxima jugada y tratar de prevenir la de ellas sin hacérselo notar, porque entonces se ofenden. Cristina quiere seguir viviendo como cuando nos conocimos en la universidad, pero eso es ridículo: la vida aquí es dura y hay que aprender bien las lecciones, sobre todo las que más duelen. Yo la he pasado bastante mal durante un tiempo y no quiero repetir la experiencia. Yo no tengo una familia cerca a la cual recurrir o amigos influyentes o ricos como Laura, que puedan ayudarme a salir de aprietos: estoy realmente sola, aunque viva con ellas y ellas crean que, en realidad, me protegen con su compañía, con sus consejos, con lo que hacen para mí. Si éste es un lugar vivible es porque yo me he pasado semanas enteras, incluso los domingos, limpiando, pintando, arreglando esto que era una pocilga cuando lo alquilé. Unos orientales habían vivido aquí antes y habían metido parientes y amigos, toda una tribu que hacía sus camas en el suelo, usando hasta los closets para hacer dormir a los niños. Habían pegado imágenes religiosas, budistas creo, y había clavos por todas partes, supongo que para colgar la ropa, incluso en el techo y en la mayólica del baño, que estaba destrozado. Cristina lo encontró todo limpio y brillando con pintura nueva; sólo trajo algunos pequeños muebles y adornos, y esto se convirtió en un lugar agradable. Laura es la más afortunada porque ella no tuvo que pasar por ninguno de esos problemas; sencillamente, hicimos el arreglo y se vino con sus tres maletas y su televisor. (Yo no sé para qué trajo el televisor, porque nunca lo mira; es medio rara esta chica.) Cristina era tan segura y responsable cuando jovencita, que es casi increíble ver lo que ha pasado con ella de adulta. En vez de madurar, ha involucionado, se ha vuelto más frágil y dependiente. Una nunca sabe con qué humor se va a levantar, si quiere que la dejen sola o si quiere compañía. Peor cuando está en medio de sus períodos, y no hace sino hablar de sus dolores y de lo mal que se siente. Yo creo que exagera un poco porque le gusta que la gente la compadezca o sentirse otra vez como una adolescente, que tiene miedo de sangrar y que lloriquea para que le den un dulce o algo. Hay personas que sólo saben quejarse, que prefieren inventar una vida complicada para cubrir algún vacío, alguna fractura que no se confiesan a sí mismas. Pobre Cristina, en verdad no puedo dejar de compadecerla y a veces tengo pesadillas que parecen provocadas por angustias suyas que he hecho inconscientemente mías. Eso demuestra que la quiero y que ella significa bastante para mí. Claro, me gustaría poder decirle lo que echo de menos, eso que ella pudo ser y no quiso ser, pero prefiero callar y olvidar: uno no debe poner demasiadas expectativas en otra persona; si a veces no podemos hacer mucho para cambiar nuestra propia vida, ¿cómo vamos a hacer para cambiar las otras? Por eso no quiero tocar ciertos temas con ella. El de Freddy, por ejemplo, que siempre parece perturbarla aunque ella provoque la conversación lanzando el nombre y mirándome a los ojos esperando mi reacción. ¿Qué me importa a mí ahora Freddy? Ya ni me acuerdo bien de él, de su cara, ni de la época en que eso pasó. He tenido amigos que fueron más íntimos que él, pero Cristina cree que fue la experiencia de mi vida, que el pobre Freddy era lo mejor del mundo. Freddy en realidad era un muchacho inexperto y lleno de problemas, que los disimulaba con la guitarra, sus canciones dulzonas y un catálogo de bromas que estaban buenas sólo para una vez, pero no a cada rato. Yo no se lo quité a Cristina, no se lo quité a nadie: Freddy no sabía bien qué quería ni de quién era. Para él, yo era algo distinto, algo que no había probado hasta entonces en su vida de chicas simples y románticas. Conmigo descubrió que había algo más detrás de eso; en el fondo, no sabía tratar a las mujeres, no sabía ser el hombre de ninguna: sólo las entretenía, las hacía pasar un buen rato. No tenía voluntad o pasión. Yo quise enseñarle eso, pero no hubo modo. En la cama, la segunda o tercera vez, alcanzó conmigo tal grado de excitación —algo que pasaba de mi cuerpo a su cuerpo y lo excedía, que le hacía entrever otro mundo que él no conocía—, que sintió como miedo, placer mezclado con miedo. ¿Qué se habrá imaginado Cristina? ¿Qué yo quise retenerlo para siempre y que no supe cómo hacerlo? Freddy desapareció un buen día, asustado como un gato, y no dejó en mí sino una sensación de haber perdido mi tiempo. Era uno de esos tipos que una conoce por completo en una semana y ya basta. Si no fuese por Cristina, yo me habría olvidado totalmente del asunto. Pocos hombres en mi vida merecen recuerdo; la mayoría están hechos sólo para ocupar un pequeño lugar que la memoria luego va confundiendo, como tumbas en un cementerio que nadie visita. He conocido a tantos.... Cuando uno conoce el número suficiente, se da cuenta de que los tipos empiezan a repetirse y que la variedad es ilusoria: recuerdo a los buenos, pero no cuál es mejor que otro. Cuantos más tengo, más debo combatir el tedio: puedo prever lo que me van a decir, ya sé lo que les gusta y lo que van a pedir que haga para ellos, ya sé cuándo me mienten y cómo vamos a reñir antes de volver a ser más dulces otra vez el uno para el otro. Es una especie de comedia, con papeles bien ensayados y efectos que se producen en momentos previsibles. Pero al mismo tiempo que sé eso, no puedo vivir sin la ilusión de que hay algo más en el deseo de ir con ellos a la cama, tiene que haber algo más.... Aunque no siempre sé si lo busco con la intensidad o la constancia requeridas. El problema es que me dejo envolver en ciertas situaciones y circunstancias, y pierdo de vista lo otro. Admito que me gustan las fiestas, bailar y escuchar cosas tiernas al oído, tomar tragos y fumarme una o dos marihuanas. Es agradable, pero también todo eso llega a saturarme; hay fines de semana en que prefiero no salir y quedarme en mi cuarto leyendo revistas o escuchando mi música o haciendo gimnasia usando la barra que tengo cerca de la puerta. Pero mis amigos siempre terminan por sacarme: se divierten conmigo y les gusta como soy. Me siento libre y llena de energía. Sé que algún día esto va a parar y que alguien va a querer casarse conmigo o vivir conmigo un tiempo largo. Entre todos los que conozco, quizá haya un tipo que realmente valga la pena. Pero no me angustio ni me deprimo esperándolo, porque no me importa mucho. Es lo que le pasa a Cristina que, en plena juventud, cree envejecer irremediablemente cada día que pasa. Es una buena chica, en el fondo, pero yo la querría más si no envidiase tanto la vida que hago, las fiestas y los amigos y todo eso. Yo me doy cuenta, porque antes, cuando éramos chicas, ella me decía que yo tenía la suerte de ser bonita, que le gustaba el color de mis ojos y mis manos, y ahora me mira con un silencio resentido, como echándome la culpa de algo. Pero aun las chicas que, como ella, no son físicamente muy atractivas, pueden hacer algo para mejorar, eso es lo que Cristina no entiende; podría arreglarse un poco más, cuidar su pelo que siempre anda enredado y como sucio. ¿Cómo podría decírselo? A veces, como no puedo hablar de esas cosas con ella, prefiero hablarle de las mías a Laura, aunque la conozco tan poco. Según Cristina, que ha sido amiga de ella desde antes, Laura es una chica inteligente y sencilla. Inteligente parece (aunque tal vez no tanto como ellas dos creen), pero de sencilla no tiene nada, y más bien me temo que sea un poquito hipócrita, con sus maneras estudiadamente suaves y su vocecita de pájaro. Quiere dar una idea de inocencia con sus manos cruzadas sobre el regazo y sus vestidos de cuello alto, blancos o celestes como los de las niñitas vestidas de domingo. Todo eso no es sino una forma de arrogancia, de no aceptar la realidad tal como és; es como si dijese: 'Yo sigo siendo la que fui, y ni esta ciudad ni ustedes me van a cambiar.' Y además tiene esos aires de intelectual y presume de sus amigos maduros y de buena posición. El problema es que no creo que esté hecha para vivir en un lugar como éste; le falta dureza, nervio. Quizá yo pueda ayudarla un poco, abrirle los ojos y hacerle ver que yo soy su verdadera amiga. Pero ya estoy otra vez tratando de mejorar las vidas ajenas, como si eso fuese mi obligación. Mi obligación es mantener este caserón viejo en orden, tratar de ascender rápido en mi trabajo y aprovechar la vida, hasta que nos aburramos una de la otra, o nos casemos, o nos muramos.... Pero mejor me pongo a arreglar un poco este cuarto, que parece como si lo hubiese allanado la policía. Felizmente mañana no voy a dormir aquí sino en el departamento de un amigo, que es tan amplio e iluminado, y no voy a ver por un rato caras amargas o lo que es peor...."

"Odio esta casa, pero ¿qué puedo hacer? Ya he hecho la prueba de vivir sola y fue un infierno. Estaba tan abrumada por ese cuartito donde era imposible casi moverse, tan horriblemente aislada de todo y de todos, viendo pasar los días delante de mí, indiferentes, como si fuesen ajenos o yo fuese un fantasma, que cuando Cristina me llamó y me propuso el plan de vivir con ella y con Nora, a quien yo no conocía, salté de entusiasmo. Y aún estuve contenta después de ver la casa, que era algo increíble, por el color y la decoración, un carnaval impresentable, porque la idea de vivir con gente conocida alrededor, era para mí una mejora tan grande en mi situación personal. Pensé que podíamos conversar de cosas interesantes, cocinar juntas, compartir paseos o ir de compras en grupo. Mi propio cuarto, además, no estaba nada mal: era, como todo en esta casa, bastante grande, con un closet enorme donde podía poner todos mis cachivaches, una ventana sobre el parque vecino y una calle tranquila y arbolada abajo. Eso hacía tolerable el color amarillento de sus paredes, que yo he tratado de cubrir con posters de los pintores que me gustan: Matisse, Rothko, Miró, Milton Avery. Y he cambiado las cortinas, que eran oscuras y viejas, y he puesto unas nuevas que tienen un fresco color azul. El reencuentro con Cristina fue muy interesante; no nos habíamos visto por un buen tiempo y teníamos tanto que decirnos que nos interrumpíamos continuamente y nos echábamos a reír. Pero, claro, eso fue al comienzo porque luego me dí cuenta de que ella tenía intereses que yo ya no compartía: Cristina es casi una mujer de negocios y lee revistas de economía muy especializadas; yo no entiendo de eso una palabra y ella se ha dado cuenta de que me aburro con sus porcentajes, sus proyecciones y sus índices de consumo. ¿Quién iba a decir que a ella iban a gustarle cosas como ésas?

Y hay días en que anda con un humor de perros, cuando está a mitad de su período y parece odiar ser una mujer, regida por un ciclo de hormonas, cólicos y flujos de sangre. La pobre sufre mucho porque necesita al mismo tiempo estar aislada y acompañada, fastidiada cuando le falta una cosa o la otra. No puedo hacer mucho para ayudarla, nadie puede, ni siquiera Nora que es la persona en quien ella tiene más confianza. He notado que haber vivido juntas por tanto tiempo las ha afectado a ambas: se atraen y se repelen al mismo tiempo, son como un matrimonio en problemas, y la sensación que tengo cuando hablo con cualquiera de ellas es que estoy interfiriendo con una relación compleja y largamente establecida, que ya tiene sus propias reglas. De tal modo que trato de ser lo más discreta posible y de respetar ese acuerdo implícito: yo soy la reciénvenida y tengo que someterme a un orden previo. Así es que mi esperanza de compartir cosas y sentirme rodeada de amigas, rápidamente se fue al diablo. A la distancia en que las circunstancias me colocan, veo algunas cosas claras: Cristina quiere hacer su vida a su manera (como yo quiero también hacerla), pero Nora ejerce sobre ella, no sé si consciente o inconscientemente, un influjo poderoso del que no logra arrancarse, aunque percibe que no es del todo bueno para ella. Nora es dominante como toda persona que cree que ha tenido éxito; ella quisiera que Cristina siguiera sus pasos, pero Cristina no se siente muy segura y no sabe si resistir o aceptar. En toda amistad hay inevitablemente un factor de ejemplo: desde niños imitamos a nuestros amigos, o los admiramos, o queremos superarlos. Cristina no se ha decidido todavía, y Nora se pone impaciente. A veces tienen grandes peleas por tonterías domésticas: una noche Nora la hizo levantarse para mostrarle que había lavado mal una sartén que ella quería usar al día siguiente (la vi exhibiendo un fideo grasoso como prueba del delito); y otra vez le dijo a gritos que limpiase el piso de la cocina pegoteado de la miel que Cristina había sacado del repostero para calmar sus ansias de dulce. Me gustaría intervenir y hacer algo por mi parte para aliviar esas situaciones, pero tengo que mantenerme al margen o me voy

a ver en medio de problemas que no son míos. No faltan días
en que esa tensión me alcanza, pese a todo. Así pasó cuando
me ofrecí a comprar una lámpara para el living y descubrí
luego que andaba mal de dinero. Nora se puso histérica y
casi demandó que la comprase de inmediato o me largase.
Tuve que hacerme un préstamo para comprar la lámpara y
calmarla un poco. Pero luego, Nora puede ser tan atenta
conmigo, dedicarme tanto tiempo, aunque tal vez eso sea
para compensar algún lío que ha tenido con Cristina, para
hacerle notar que no la necesita. Lo curioso es que, sinceramente, no creo que Nora sea tan dura o implacable como luce:
es una máscara que usa para ocultar algo. Su aspecto, las cosas que hace ostentosamente, desdicen lo que ella realmente
es, como si quisiera desligarse de sí misma y ser otra, totalmente inventada a partir de lo que ella sueña debería ser su vida. Por fuera es vulgar, por dentro puede ser tierna, pero eso
está como hundido, deliberadamente oculto a la vista de los
otros. Tiene vergüenza de algo que ella fue de jovencita (ése
es un tema del que Cristina tampoco quiere hablar conmigo,
pero que parece tiene que ver con los padres de Nora), o que
está arrepentida de lo que pasó con Freddy (que es una historia que yo sólo he escuchado a retazos y en versiones diferentes que no siempre hacen sentido, por lo menos para
mí). Lo cierto es que yo observo el lado agresivo de Nora
como lo menos importante de su personalidad, aunque ella
lo subraye tanto. Creo que le gusta ser vulgar para escan-
dalizarme y para probarme que yo no vivo del todo en la
realidad porque no hago lo mismo. Eso de depilarse desnuda, las piernas completamente abiertas, mientras mira televisión, o lo de orinar sin cerrar la puerta del baño, son ceremonias para hacerme sentir incómoda, cuando lo que siento
en verdad es pena por ella porque, siendo tan joven y todavía tan bonita, sobre todo por la cara lozana como una fruta,
tiene la espalda con puntos de grasa infectada y la piel de los
muslos y los senos ya un poco floja. ¿Por qué le gusta ex-
hibirse así? ¿Por qué cree que las parrandas con sus amigos
son signos de que ha alcanzado el nivel de la gran vida en
esta ciudad? ¿Por qué se admira tanto de que yo no quiera

hacer amigos entre los de su grupo? ¿Querrá realmente ser esa putita barata cuyas hazañas Cristina y yo comentamos cuando estamos en la calle? Yo debo parecerle una tonta porque no ando buscando cosas como ésas. Por supuesto, me gusta tener amigos, pero mi experiencia con hombres es un poco limitada. Ha habido sólo dos que contaron para algo en mi vida, ambos hombres un poco mayores y de temperamentos muy diferentes. Con el primero me acosté después de pensarlo mucho; él era considerado y un poquito frío sin ser indiferente (le gustaba leer libros franceses después de hacer el amor y a mí me gustaba contemplar su concentración en la lectura), pero creo que era incapaz de ser verdaderamente íntimo con alguien como yo. Con el segundo, en cambio, me acosté al día siguiente de conocerlo y descubrí que era increíblemente apasionado a pesar de su apariencia, pero luego él conoció a otra chica y continuamos entonces sólo como amigos. Es una persona estupenda pero también con muchos problemas, alguien difícil de vivir con él. Debo confesar que el sexo no es algo importante en mi vida, al menos todavía; tal vez lo sea más adelante, eso no lo sé. ¿O hay algo que yo reprimo dentro de mí y racionalizo de este modo? Tampoco lo sé. Lo que no quiero es vivir en la mentira, como Nora. Quiero ser yo misma, no importa quién sea; quiero conocerme bien. Nora (y tal vez Cristina, ahora que es una mujer tan práctica) puede burlarse muy bien de eso y pensar que es un ideal ridículo, sobre todo aquí, en este lugar donde las oportunidades son escasas y pasan velozmente frente a una para nunca más volver, ya se trate de hombres, dinero o diversiones. Nora cree que yo tengo una secreta pretensión 'intelectual,' porque leo libros que ella no entiende, de autores de lenguas y países muy exóticos, o porque algunos de mis amigos son muy inteligentes o tienen buena posición o son conocidos y hablan de ellos en los periódicos. Cree que yo quiero aprovecharme de eso. No concibo mi vida como formando parte del círculo de ellos; los trato porque me caen bien y aprendo muchas cosas, eso es todo. Lo que en el fondo quiero es mantenerme en mi trabajo un tiempo más, ahorrar un poco (aunque eso ahora es tan difícil), quizá encontrar un hombre con el cual pueda casarme y tener hijos, alguien que me permita escapar de esta casa. Aunque tal vez mi destino sea vivir sola, como ha sido la mayor parte de mi vida. Y pensando en tantas parejas que conozco, quizá eso sea lo mejor. ¿Envejeceré sentada en un cuarto, esperando una llamada por teléfono? ¿Contestaré esa llamada? ¿Valdrá la pena? Pero no voy a ponerme plazos precisos ni hacerme grandes ilusiones: estoy preparada para el fracaso, y para aprender del fracaso. No es que no las quiera o las desdeñe, pero no deseo ser otra Cristina ni otra Nora, viviendo como si algo grandioso estuviese por pasar y que sólo ellas...."

(Hoy es sábado. Esta noche, en pocos minutos más, Cristina va a maquillarse un poco su cara desabrida y medio tristona, Nora se pondrá uno de esos vestidos de color vivo y rasgados por una larga abertura al costado, y Laura aparecerá íntegramente de clanco salvo por el cinturón y los zapatos color vino, para ir juntas, en un taxi, mientras hacen comentarios bulliciosos y triviales, a la casa de un amigo que le ha dicho a Cristina que Freddy ha vuelto a la ciudad y que Freddy quiere verla a ella y a Nora, sus dos mejores amigas, y que pueden traer a su nueva compañera, a quien tiene muchas ganas de conocer, a ver si esa Laura es tan simpática como ellas dicen, o si exageran.)

Un pequeño hotel en San José

Un pequeño hotel en San José

Para Alvaro Mutis

Ambos son bastante jóvenes; no pasan de los 25 años. Ella es en realidad un año mayor que él, lo que es difícil de apreciar. El es alto, de fuerte contextura, de movimientos apacibles; ella es más bien menuda, delgada, muy vivaz. Se sentaron juntos por casualidad en el avión que venía de C. y, como ambos deben pasar una noche en San José y tomar allí el avión que los llevará a sus respectivos destinos, se hicieron rápidamente amigos. En pleno vuelo, luego de las primeras preguntas exploratorias, empezaron a hacer planes para estar juntos en San José. Ninguno de los dos dispone de mucho dinero: él tiene un trabajo temporal mientras espera la oportunidad de seguir estudiando; ella trabaja en una compañía de relaciones públicas, donde se aburre mucho y gana poco. Deciden tomar una sola pieza en algún hotel de San José, acompañarse mutuamente en una ciudad que apenas conocen. Sólo él pasó unos días aquí, hace mucho tiempo, cuando era un niño y viajaba con su padre. Ninguno espera de ese arreglo sino lo inmediato: ahorro y cercanía. Están muy satisfechos de haberlo acordado.

103

Al llegar al aeropuerto y después de los trámites de rigor, encuentran una casilla de turismo donde un panel informa a los viajeros respecto de hoteles y precios. Eligen uno por la tarifa —es la tercera más barata— y por el nombre que les divierte porque es totalmente ridículo: Saint Moritz Hotel. Los otros tienen nombres de héroes que no conocen. Cambian un poco de moneda, toman un taxi y se ponen en marcha.

El viaje es agradable; en la oscuridad del auto se relajan y empiezan a olvidarse de la monotonía del vuelo. La noche ha caído ya sobre la ciudad. El baja el vidrio de la ventanilla y un soplo de brisa tibia, ligeramente olorosa a pasto, llega hasta ellos, agitándoles el cabello. Ella se siente particularmente contenta; él ve brillar sus ojos y su mano buscando, apretando vagamente la suya. El no la besa; sencillamente la aproxima contra su cuerpo y ella pone la cabeza sobre su hombro. Hablan poco; de vez en cuando leen los carteles que aparecen en la ruta y se preguntan por lo que significan: anuncian cosas inexistentes para ellos.

La imagen que él tiene de San José es totalmente irreal, como si la hubiese visitado en sueños. Pero ambos están de acuerdo que debe ser una ciudad agradable. Su verdadero nombre no es San José, pero todo el mundo la llama así por la montaña azulada que la domina y que aparece en todas las postales. Lo que, en verdad, la hace tan grata es que San José no tiene atractivos mayores, o más memorables, que ése: es pequeña, limpia, provinciana, borrosa. No parece una ciudad, sino cualquier barrio de cualquier ciudad grande de hoy. No es ni muy antigua ni muy moderna, y aunque las inevitables marcas de la vida cosmopolita existen, no son muy abundantes: hay un par de altos edificios de cristal y acero, algunas boutiques lujosas, clubs privados con llamativos letreros luminosos, casonas familiares convertidas en coquetos centros comerciales, grandes almacenes con vitrinas repletas de artículos importados, etc. Pero no por eso la ciudad pierde su natural ritmo lento, su incapacidad para la estridencia. Parece haber poca gente; él arriesga la teoría de que muchos deben haberse ido porque la situación económica, y ahora la política, ha empeorado. Pero nadie se apura ni se muestra ansioso en las calles: vivir en esta ciudad debe ser un ejercicio en el arte de la tranquilidad, aunque las cosas no vayan tan bien como antes.

Al llegar al hotel, tienen una sorpresa: el Saint Moritz Hotel es pequeño, pero mucho mejor de lo que habían imaginado. Y cuando suben a la pieza —el ascensor es como un montacargas— se sienten verdaderamente contentos: los que han arreglado la habitación han hecho el milagro de poner todo lo indispensable en un espacio reducido, pero sin atestarlo; aunque nadie podría llamarla lujosa, está decorada con buen gusto. Una gran cama ocupa el centro y hay luces muy discretas a cada lado de ella y en el techo; los cuadros sobre la cabecera no son horribles y los muebles son tan nuevos que todavía huelen a barniz. Todo está sumamente limpio y el baño es cómodo y bien iluminado. Ella le propone brindar por la elección; él abre la botella de coñac que compró en el aeropuerto (todo el mundo toma coñac aquí, les han dicho), echa un poco en los vasos de plástico claro que han encontrado en la habitación, y beben cortos sorbos. Hablan ahora con gran desorden, hacen bromas que celebran a carcajadas, se sienten bien y llenos de entusiasmo. El ve otra vez brillar en los ojos de ella una luz especial, entre cordial e irónica; en un movimiento que resulta muy natural, ambos se besan largamente. El coñac hace arder un poco las lenguas dentro de sus bocas. Más que exactamente pasión, hay algo de festivo en sus besos; parecen cachorros, pequeños gatos trepados uno encima del otro, luchando sin violencia sobre la cama. Pero no siguen: se levantan, se arreglan la ropa arrugada y torcida sobre sus cuerpos, deciden salir a comer (tienen hambre los dos, después del temprano almuerzo en el avión) y luego echar un vistazo a la ciudad. Ella se cambia la blusa y se pone un abrigo liviano; él elige una deportiva casaca de cuero.

Se ponen a caminar después de vacilar en qué dirección; tienen la impresión de que siguiendo la ruta de la avenida por la que está el hotel en dirección a un edificio alto y parcialmente iluminado, están entrando a la zona céntrica.

Conforme avanzan por la avenida van encontrando tiendas, cafés, grupos de gentes que fuman y charlan en la calle. Pero en general hay poca actividad; las tiendas ya han cerrado y todo tiene un aire de rara inmovilidad: los relucientes autos nuevos que se ven en una compañía importadora, parecen piezas en un museo cerrado; los bancos, con sus facetados muros de granito y sus equipos electrónicos a la vista, lucen como mausoleos abandonados hace siglos. Prefieren no seguir caminando porque no creen encontrar más adelante nada que les interese; regresan por la acera del frente, porque al pasar han visto varios restaurantes y deciden probar alguno. Sin dificultad eligen el "Torino," un lugar íntimo, con dos pisos llenos de mesas cubiertas con manteles a cuadros. Ella pide una lasaña; él, arroz con mariscos; el mozo les recomienda un buen *chianti*. Comen y beben con satisfacción, particularmente ella que encuentra su plato de los más deliciosos que ha comido jamás. La atención es impecable, sobre todo porque hay poca gente y el mozo es amable pero discreto. Al final piden un postre esponjoso y fresco que les encanta, y después un café. Brindan varias veces por ellos mismos, en broma y en serio.

Cuando salen, ella está levemente afectada por el vino y se apoya en el brazo de él, con el gesto distraído de una esposa; él le acaricia las sienes de vez en cuando. La brisa del anochecer ayuda a despejarle la cabeza; huele a madera, a flores pisoteadas. Caminando en la misma dirección en que venían, pasan de largo frente al hotel. El le va enseñando las pocas cosas que recuerda y que reencuentra, aunque a veces duda si se trata de las mismas. La avenida se vuelve más angosta y solitaria. Hoy es sábado, recuerdan, pero nadie lo diría. Sólo de vez en cuando un auto, o una corta caravana de dos o tres, pasa zumbando a toda velocidad, y ellos pueden escuchar las voces alteradas y las radios a todo volumen de los que van dentro. Les han dicho que ése es el modo habitual de celebrar el fin de semana que tienen aquí los ricos hijos de papá, estimulados por el alcohol y ahora por la droga; la ciudad, sin embargo, permanece indiferente a estos locos minoritarios. En la parte más oscura de la avenida casi no hay tiendas, salvo unos negocios modestos (sastrerías, peluquerías de barrio, cervecerías tristonas), pero encuentran pintorescas casas protegidas de la curiosidad callejera por visillos blancos; adentro sólo pueden entrever grupos familiares hipnotizados frente a televisores en blanco y negro. Esas casas se multiplican en las callecitas que atraviesan la avenida y que parecen perderse en la oscuridad. La ciudad no sólo cambia en esa zona, sino que retrocede en el tiempo; todo está como detenido en los años 40: porches de madera con pintura descascarada, maceteros de barro anchos como ollas, techos altos y rejas de hierro con decoraciones en forma de rombos o de volutas. Sobre ellos, la bóveda del cielo es muy alta y las estrellas son como pequeños orificios en una pantalla negra. Ambos tienen la impresión de que el aire es puro y que posee una calidad vegetal, casi asombrosa: pertenece a una etapa preindustrial. En los paneles de madera que cubren terrenos baldíos o en construcción, ven inscripciones chorreadas de pintura roja; leen una: "ASESINOS: DONDE ESTAN LOS ESTUDIANTES DESAPARECIDOS". Un nombre de mujer está escrito al través; encima, alguien ha borroneado la caricatura de un gigantesco y goteante pene entrando por la O del nombre: "ROSANA." La doble violencia los sobrecoge. ¿O es sólo una? ¿Es Rosana una de las desaparecidas? ¿O una militante muerta? ¿O una simple chica del lugar? El trata de descifrar otras inscripciones, superpuestas como jeroglíficos; ella le dice que siente un poco de frío, lo tira del brazo y se van.

Al cruzar una de esas callecitas, un auto negro y lujoso que viene a gran velocidad por la avenida, dobla a último minuto y toma la intersección haciendo un gran arco (por un momento, parece que va a volcarse, las llantas chirrían). Ella, que se ha adelantado unos pasos para ver algo, no se ha dado cuenta del peligro y sigue avanzando; él la agarra del cuello de su abrigo y la tira desesperadamente hacia atrás; el auto pasa como una exhalación, casi rozándolos. El atina a lanzar una maldición en el idioma del lugar; el que maneja el auto le contesta otra blasfemia y se detiene con un frenazo. Ella se asusta; él mira hacia la avenida y ve que el letrero del hotel brilla todavía un poco lejos. Hay una discusión en el auto, hay grandes gritos borrachos, pero nadie se baja. Alguien les arroja una botella vacía de cerveza, más como un gesto de desprecio que de agresión directa, porque la botella cae lejos de ellos, haciéndose añicos. Los del auto ríen a carcajadas; de pronto, lo ven partir haciendo chirriar otra vez las llantas. Ambos respiran aliviados. "Pudo matarte," le dice él a ella. "Sí, gracias por el empujón a tiempo," contesta ella y le da un beso de reconocimiento. Se apuran en volver al hotel. La cabeza de ella se ha despejado por completo.

Suben, se lavan un poco, tratan de encontrar algo en la televisión pero es imposible; no entienden ni las noticias locales porque ignoran por completo los detalles a los que hacen referencia, generalmente de carácter político. Abren la botella de coñac y se tiran sobre la cama. Son exactamente las doce de la noche; la campana de alguna iglesia suena a la distancia. Ella le abre dos botones de la camisa, le besa el pecho y se queda descansando, muy quieta, sobre él. Pasa un rato y luego él la desnuda lentamente. Durante toda la noche harán el amor tres veces; la segunda será la mejor y más prolongada. En los intervalos, charlan en voz muy baja, se hacen confidencias, beben coñac. El deseo crece en ella por ondas envolventes, que ceden poco a poco; en él, surge como un latido rápido, de increíble violencia, y luego desaparece por completo. Se las arreglan, sin embargo, para coincidir; honestamente, reconocen que son dos extraños.

Este es un breve resumen de lo que hablan durante esa única y larga noche:

El: ¿Qué sientes por mí, ahora mismo?

Ella: Amor no, por cierto. No te conozco y no puedo amarte. Pero me haces sentir enormemente contenta, no sólo en el aspecto físico. Me das una extraña calma, como una ausencia de mí misma. Sentir esa felicidad un poco anónima me interesa más que el amor. ¿Y tú?

El: Un poco como tú. Eres una maravillosa compañera. Si te amase, tal vez no me daría cuenta, estaría haciendo planes, tratando de retenerte. No pienso retenerte. Pocas cosas duran y las que duran, se convierten en algo distinto, te hacen sentir traicionado. No me interesa saber en qué acaban. No quiero perder mi tiempo, tú me entiendes.

.....

Ella: Pienso casarme antes de los 30 años. Tuve un par de oportunidades para hacerlo, pero no quise, o mejor no me atreví. He estado muy enamorada, pero todavía no he logrado relacionar eso con la idea de estar casada. Creo que temo a las responsabilidades; debo ser una solitaria o una insegura.

El: Yo, en cambio, hasta ahora no he amado verdaderamente a nadie. No sé de qué se trata. Pero si sintiese amor —lo que todos dicen que el amor es—, me casaría de inmediato con esa mujer y tendría varios hijos con ella. Soy práctico y si cometo errores sé cómo salir de ellos. Jamás me sentiré atrapado por nadie, la ame o no.

.....

Ella: Mi madre es un ser extraordinario; ha sido siempre mi mejor amiga y siempre ha sabido todo lo que hago. Sabrá incluso de esto. Mi padre la abandonó cuando yo tenía 13 años; no lo he vuelto a ver más. Mi padre es un hijo de puta, déjame que te lo diga.

El: De los dos, prefiero un poco más a mi padre, pero ninguno es una persona importante para mí ahora. Prácticamente me he criado solo, tratando de molestarlos lo menos posible. Cuando se mueran, no sabré qué actitud tomar. Quizá llore un poco por todo lo que no he llorado antes.

.....

El: Me quedaré en el trabajo que tengo un par de años más, juntando todo el dinero que pueda. Lo que me preocupa sobre todo esacabar mis estudios. No creo ser el más inteligente de mi grupo, pero soy hábil: puedo montar negocios con poco capital, comprar compañías en dificultades económicas y revenderlas a buen precio. El dinero es como un juego para mí: me gusta verlo pasar de mano en mano. Si se queda en las mías, tanto mejor; si no, me importa poco.

Odio a los que no son capaces de hacer lo que se proponen. Odio a los que pierden su tiempo.

Ella: Yo nunca pensé en una carrera para mí. Bueno, estuve un año en la universidad porque mi madre me lo recomendó, pero eso fue todo. Ese mundo de jóvenes profesores y seudointelectuales, todos insatisfechos, todos tratando de disimularlo, todos buscando reconocimiento, archivando recortes para sus *files,* me pareció un horror. Tengo una gran indiferencia por las personas que dedican su vida a investigar y probar algo. Eso presupone que pueden alcanzar la verdad, ¿no es cierto? Pero la verdad, si existe, no tiene que ver con los que la buscan. La vida es algo más modesto, algo menos trascendente. Deberían enseñarnos a no sobrevalorarla tanto.... Trabajo para mantenerme y eso me basta. Aunque no gano mucho, fuera del trabajo me divierto bastante y no me quejo.

.....

El: ¿Qué te gusta más: cuando te beso por aquí o cuando te hago esto? Tuviste un éxtasis, pero no sé bien con cuál.

Ella: Cuando me besas en ese lado. Me haces sentir como si estuviese sola. Antes de ti no sabía que podía alcanzar ese estado. Curioso que hayas preguntado, porque grité algo en ese momento, me acuerdo.

.....

Ella: Leo poco. Ni diarios ni revistas me interesan. La poesía no la entiendo. Sólo me gustan las novelas, pero las leo al azar, sin buscar autores. Y luego me olvido de ellas por completo. En realidad, leo, pero no sé para qué leo. Hay una pretensión en la literatura que me repugna.

El: Tengo una buena colección de libros de ciencia-ficción, y también de revistas sobre el tema. Aparte de eso, un poco de libros sobre asuntos de actualidad, un poco de psicología también. Ahora, no sé cómo, he empezado a interesarme por el Medio Oriente, pero ése es un tema complejo.

Al día siguiente, despertándose desnudos sobre una cama revuelta y oliendo a ellos, las sábanas anudadas como una

110

soga alrededor de la cadera de ella, no están muy seguros de si han dormido o no; creen que sí porque no se sienten fatigados, pero ambos recuerdan la luz violácea del amanecer mucho tiempo ante sus ojos. Mientras ella entra a la ducha (la oye cantar), él se pone a arreglar sus papeles y a recoger la ropa interior de ella tirada por el suelo. Incluso su ropa usada luce limpia; todo en la maleta de ella parece inmaculado y ordenado, como en un muestrario; todo huele a algo delicado, a fruta de convento. Pocos minutos después, la cabeza envuelta en una toalla como un turbante, ella aparece por el marco de la puerta del baño. Le pide que le pase un tampón higiénico de la cajita que tiene en su bolso de mano. El rebusca y lo encuentra; saca uno y, antes de dárselo, le hace un raro pedido: le pide que le deje ver cómo realiza esa operación privada. Ella se niega dándole un beso: "Un loco, eso es lo que eres," le dice y cierra la puerta otra vez. En una media hora lo tienen todo listo; ella lo ha ayudado con su maleta mientras él se baña y se afeita. En un momento ella entra al baño sin pedirle permiso y le agarra el sexo desde atrás y le dice algo. El se ríe, consulta el reloj. Sólo pueden besarse y lo hacen con una ternura de hermanos que no se han visto en mucho tiempo. Sólo después de un rato él se da cuenta que ha manchado completamente los muslos y la mano de ella.

Salen, piden un taxi y se ponen otra vez en marcha. En el camino al aeropuerto, reconocen lo que entrevieron en el viaje nocturno de venida. Es un día precioso, con un viento más tibio que el de ayer; los árboles lucen ligeramente azules, como si fuese el comienzo de la primavera. Ella le dice que este lugar, que parece paradisíaco por unos días, puede ser un infierno para los que no pueden salir y deben pasar sus vidas enteras aquí. Las ciudades siempre son peores de lo que los turistas imaginan, porque sólo ellos son capaces de ignorar su horror y de descubrir bellezas que los del lugar no perciben en absoluto; nadie conoce realmente una ciudad. Toman desayuno en la cafetería del aeropuerto. Un mozo español ("castellano viejo, señorita," dice) los atiende y les trae tostadas con mermelada y grandes tazas del fuerte café local, que es tan famoso. Detrás de ellos hay una larga mesa ocupada por dos familias turcas, los hombres con barbas de dos días, las mujeres arrugadas como pasas y oliendo a sudor de borregos; los numerosos niños dan vueltas alrededor de la mesa en donde están ellos dos. Ella juega con el más pequeño, que se lame los mocos mientras rueda por el suelo. Dejan que pase el tiempo con placer, sin pensar en que dentro de poco se van a separar; tomarán el mismo avión, pero ella bajará en la primera escala, él seguirá de largo.

Cuando escuchan por los altoparlantes el anuncio de que el avión va a partir, experimentan verdadera pena por abandonar San José, esta ciudad fantasmal que apenas sí conocen y que sin embargo les ha gustado tanto. Ella todavía recuerda la cena de anoche. Le pregunta, como disfrazando su intención: "¿Me invitarás otra vez al mismo lugar?" El, quizá sin entender bien, responde: "No lo sé con seguridad." Pero ambos sí saben —mientras miran por el gran ventanal hacia la plataforma donde está ya su avión, atendido por operarios que parecen moscas cebándose en un elefante muerto— que no volverán a verse y menos aquí, donde han llegado por azar y sin planes concretos. Respetando un acuerdo espontáneo e implícito, ninguno de los dos tiene las señas del otro y sólo saben lo que recuerdan de lo que conversaron, algo que se esfumará con el tiempo. Se notan inconsistentes en ese momento y su extraña felicidad parece prestada de alguien, o imaginada por alguien. Se sienten, en el fondo, como desplazados de la realidad, reducidos a vivir una vida entre paréntesis, como átomos sensibles flotando en una nada que está pronta a reabsorberlos, a hacerlos suyos otra vez, a quitarles —poco a poco o de golpe, eso no lo saben todavía— hasta el último recuerdo de que alguna vez estuvieron en San José. Les gustaría que su historia fuese contada, completa y no sólo referida, para hacerla verdadera; les gustaría saber quiénes son, o si son.

Cuando él se despierta volando en el avión, no ve a nadie a su lado, y presume que ella ya bajó en la escala anterior y que él se ha quedado dormido. ¿Pero en qué momento? ¿Cuánto tiempo ha pasado? ¿O ella está en el baño? Trata de desperezarse. El avión está semivacío: ¿bajaron tantos pasajeros con ella? Mira abajo por su ventanilla y ve el ajedrezado delicadamente verde de unos campos de cultivo: ¿qué lugar será ése? Recuerda ahora que acaba de soñar con ella (ella le entregaba un regalo y él despertó con el ansia de ver el contenido) y sonríe mirando al techo, haciendo que el ducto de aire fresco le dé en la cara. Cierra los ojos y, súbitamente, como un rayo, una increíble idea cruza por su cabeza, casi fulminándolo con una revelación: no ha soñado con ella *ahora,* sino que ha soñado toda la historia. Sí, el avión está aún por bajar en San José y ella nunca ha estado a su lado. Pero todavía cree sentir en su piel el vago olor de la piel de ella.... ¿O imagina también eso? Antes de que el sueño se le olvide del todo, antes de que se desvanezca por completo, no muy seguro de lo que verdaderamente ha pasado, saca una libreta de su cartapacio y empieza a escribir distraídamente una frase que le parece bastante real: "Ambos son bastante jóvenes; no pasan de los 25 años...."

Tempus fugit

Tempus fugit

—Dime: ¿qué cambios notas en ti, en tu cuerpo?

—Bueno, como ya no soy una jovencita, siento que muchas cosas pasan dentro de mí. Creo que por primera vez tengo una conciencia muy viva de mi cuerpo, no sólo del presente, sino del que tuve en el pasado y que ahora extraño. Una tarda bastante en darse cuenta de esas cosas. Observo, por ejemplo, que mis senos se han hecho más redondos, más pesados, más suaves. El izquierdo sobre todo, ¿ves? Las puntas son un poco asimétricas y la aureola de los pezones ha crecido y se ha oscurecido. Me siento más cómoda llevando sostén. Cada uno se ha hecho independiente, no reaccionan igual contigo. Cuando me besas el de este lado siento un deseo ardiente, a veces brutal, aunque no siempre muy duradero. En cambio, el otro está como muerto, o mejor: se ha convertido en un seno maternal. Cuando me acaricias o me chupas no siento sino como un reconocimiento familiar, como si fueses un hijo perdido y te viese después de tiempo. Ninguna excitación realmente, aunque me gusta que lo hagas y sostener tu cabeza contra mí cuando lo haces y besarte la frente, alisarte el cabello. Creo que es por los nervios que me removieron cuando me extrajeron ese pequeño nódulo; la mitad de mis sensaciones se fueron con él. La pequeña cicatriz se ha hecho rosada, como si me hubiese quemado ligeramente, pero ya no hay ningún reborde. He notado que te gusta besarme allí más que antes, no sé por qué, tal vez porque quieres demostrarme y convencerte que la cicatriz no te importa. Pero te importa, ¿verdad? ¿Qué más? Ah, sí, mi vientre se ha combado un poco más y al ombligo le ha pasado una cosa divertida: casi ha desaparecido, ahora es como una pequeña muesca en el medio, donde no entra ni mi dedo meñique. Cuando estoy sentada se nota todavía menos y tú no puedes evitar mirarme con cierta extrañeza. Mi piel se ha vuelto más reseca (siempre tuve ese problema), como si la hubiesen frotado con piedra pómez o algo áspero; se aprecia más en la cintura y en el cuello. Y hay también unas arrugas que no sé cómo se han formado sobre el pubis, una especie de estrías finísimas. Debe ser la mala posición al sentarme o la falta de humedad de la piel. Mis nalgas creo que siguen siendo firmes, pero ya no como antes, aunque tú dices que son perfectamente redondas, "un culo de niño gordo", y la pelusilla de los muslos ha desaparecido: ahora mis piernas son completamente lisas como una lámina de metal. Ya casi no necesito afeitarme. Y aquí entre los muslos, tengo dos o tres diminutas pelotillas como lunares de sangre que antes no tenía y que aparecieron un día en que me corté con tu navaja. Algo más curioso es que mis vellos se han rizado más y parecen más escasos porque se han acortado considerablemente; a veces me producen cierto escozor, quizá sea por el roce de la ropa o los blue-jeans. Cuando sangro, sangro copiosamente, casi a chorros y me siento tan incómoda, tú sabes. Lo raro es que, pese a eso, es justamente entonces cuando más te deseo, al revés de lo que antes ocurría, pues cuando me lo pedías casi no podía hacerlo si veía una gotita y te manchaba. Y en fin, otras cosas más: me gusta hacer el amor casi de un solo modo, el que tú sabes, a mí que tánto me encantaba variar e improvisar. Ahora prefiero las repeticiones a los cambios: me he vuelto una perfeccionista y he hecho de esa posición algo inmejorable. Me canso con facilidad y hay días en que prefiero acariciarte distraídamente y soñar que lo hago contigo, pero no hacerlo. Me encanta quedarme dormida sobre ti mientras juegas con tus dedos dentro de mí, con lo que al principio solías despertarme. ¿Y recuerdas cuando me besabas al costado, sobre la cadera, y me volvías absolutamente loca? Bueno, ya no más, lo que no entiendo. Además, hablo menos contigo cuando lo hacemos y tiendo a no pedirte nada, sino a observarte y sentirte en silencio, dejándote hacer, haciéndote sentir toda esta confianza, esta amistad de años compartidos y que, en el recuerdo, se me confunden y parecen ya no tener fechas ni nombres precisos. Sólo mi imaginación me dice que tú y yo somos los mismos.

—El tiempo ha pasado también para mí, por supuesto, y más de lo que crees. Contigo lo noto más que cuando estoy solo o con alguien que no me importe tanto como tú. Es esa amistad compartida que tú dices, lo que lo desenmascara, pero a solas llego a admirarme de que sigamos juntos pese a no ser ya la persona que tú conociste y tampoco ninguna de las que fui en etapas intermedias. Mi cuerpo se ha vuelto maniático: responde a ciertos estímulos dentro de ciertas horas, en ciertas circunstancias especiales. El clima físico influye mucho sobre mí, el ambiente también; hay piezas donde sencillamente no puedo hacer el amor ni contigo ni con nadie. A veces un olor de muebles o de comida flotando en el aire basta para que deje de pensar en eso. Por supuesto, mantengo algunos viejos hábitos que a ti te gustan, como el de hacer el amor preferentemente a plena luz, en la mañana antes que en la noche, o después de cenar, tomando vino blanco uno de la boca del otro. Por las noches, prefiero leer y abrazarte a ratos, sin una intención definida, cuando me canso del libro. Para mí, las noches ahora son para dormir porque no logro sentir mayor necesidad de ti, aunque nada es tan bueno como saber que estás allí. Pasar toda la tarde contigo es, como siempre, espléndido, sobre todo si tenemos cosas en el refrigerador, quesos y carnes o cosas así, y podemos estar desnudos sobre tu cama, mirando entre las cortinas a la gente allá abajo, corriendo, yendo y viniendo de sus trabajos. Contigo me he vuelto un ocioso, un hombre de gustos concentrados y precisos, pero en general pasivo. La lista de cosas que ya no acepto es enorme. Por cierto, no puedo hacerte el amor tantas veces seguidas como antes, ¿te acuerdas?, pero tampoco lo echo de menos: estamos como más relajados, menos absorbidos por los accidentes de nuestra pasión y más interesados en nosotros mismos. Al lado tuyo, duermo con una profundidad que es maravillosa; es como caer en un abismo, en un doble abismo, igual que si, estando despierto, me contemplase dormido en un espejo. Al amanecer, tengo la vieja erección de siempre, pero ahora es un poco dolorosa, quizá porque tiende a durar más de lo normal. Es interesante porque ni tú ni yo parecemos prestar atención a eso y esperamos primero el café y luego volvemos a la cama (si pasamos juntos la mañana) y hacemos el amor comenzando todo por nuestra cuenta. Tu boca provoca la erección sólo cuando tocas la punta sin apretar mucho; ya dejamos la etapa de los mordiscos furiosos y las lamidas interminables, que yo creía indispensables entre nosotros. Tus besos en el pecho tampoco funcionan ya, pero sí en las orejas o en las piernas, siempre y cuando no me produzcan cosquillas, que detesto. ¿Has notado la cantidad de manchitas que me han aparecido en el cuello y en los hombros? Son lunares minúsculos como pecas, aunque algunos son ligeramente abultados. Y, mira, en las rodillas hay unas raras líneas blanquecinas como si la piel se hubiese desgarrado o me hubiesen operado la rótula. Tengo algunas canas en el pecho y me salen unos pelos cortos y duros en la nariz y en las orejas que me arranco con tus pinzas. Y aunque no he perdido pelo en la cabeza y casi no se me ven canas, los mechones castaños que tenía se han oscurecido y han perdido su brillo. Verte desnuda no es ahora tan excitante, salvo como un recuerdo de otras veces o cuando estás de espaldas, haciéndote la dormida pero sabiendo que te contemplo. Tienes la espalda más graciosa del mundo, con más huesos de los necesarios y cada lado bien dividido por la columna, cuyas vértebras parecen bajo la piel una de esas hileras de carretes con los que yo jugaba de niño, como si fuesen trencitos. Pero, en general, tu cuerpo es para mí un placer mental, un juego de la memoria, no algo directamente visual. Me he vuelto poco visual ahora y creo que si fuese ciego te desearía igual, o tal vez mejor. Algo más: percibo mis propios olores con una fuerza desconcertante, no sé si tú los sientes de ese modo. A veces, como sospecho que sí, me cambio de ropa en un mismo día. El olor de mi semen, por ejemplo, es violento y ya no se mezcla con tu olor, con lo cual desaparecía para los dos. Extraño eso, porque lo entendía como un signo de que estábamos tan unidos.... Ahora debo esperar por otros signos, pero no sé si son los correctos.

—¿Por qué nos hemos puesto a hablar de estas cosas? En el fondo, ¿no es cierto que cada uno las advierte en el otro y resultan más evidentes para él que para uno?

—No es así, aunque parezca. Hay una distancia entre lo que yo percibo, que es la consecuencia, y lo que pasa en ti, que es la causa. Yo te preguntaba por las causas para explicarme mejor los efectos; creo que así nos conocemos todavía mejor. Eso es lo bueno entre nosotros: que podemos hablar sin autoindulgencia. Con mi esposa no puedo: ambos tendemos a protegernos uno del otro. De hecho, ya me ha convencido: no percibo en ella ningún cambio, no sé lo que está pasando.

—No me extraña: los maridos nunca se dan cuenta de nada. Con el mío ocurre igual.

—El tiempo pasa, pero a veces pasa en vano.

Funcionamiento del correo

Funcionamiento del correo

Ya me ha pasado muchas veces, demasiadas veces, como para considerarlo una mera coincidencia, aunque al principio trataba de convencerme de que no podía ser sino eso. La cosa funciona así: escribo una carta a alguien, digamos a B., haciéndole algún planteamiento, y empiezo a esperar respuesta. Pasa el tiempo; la respuesta no llega; me olvido por completo del asunto, entretenido por el flujo continuo del correo, con nuevas cartas y nuevas respuestas a otras cartas. De pronto, algo me recuerda un día que mi carta a B. no ha sido contestada. Decido mandar una segunda carta, repitiendo la primera (nunca hago copia así es que la segunda es más bien un resumen de aquélla) y la despacho; ese mismo día, generalmente por la tarde, recibo la carta de respuesta a la que envié primero. Aparte del problema lateral que eso plantea (tengo que escribir una nueva carta casi de inmediato, el otro cree que su carta se perdió y espera a su vez un plazo para ver si es cierto), la cuestión de fondo es otra: la de aceptar el hecho de que es el acto mismo de escribir mi segunda carta lo que hace que la respuesta a la primera aparezca. A tal punto es esto cierto que, cuando *no* la escribo, la respuesta no llega. He hecho algunos experimentos: demorar mi segunda carta deliberadamente una semana más, para que la respuesta tenga tiempo de llegar por su cuenta. No pasa nada; pero apenas se vence el nuevo plazo y la pongo en el correo, recibo la respuesta. Otra prueba ha sido la de escribir la nueva carta, cerrar el sobre, ponerle la estampilla y guardarla en mi escritorio; la respuesta llega infalible, lo que demuestra que la existencia de la segunda carta, no el hecho de mandarla, basta para producir la aparición de la respuesta. (No se puede abusar del sistema: varias veces he hecho la prueba de ahorrarme la estampilla al guardar el sobre; el efecto no se produce; pero apenas pongo la estampilla, recibo la respuesta, aunque no la haya echado al correo.) Así es que ahora he perfeccionado el mecanismo y escribo mis segundas cartas casi regularmente para tener las respuestas en el tiempo que considero necesario o razonable; he creado mi propio sistema de correo, paralelo al regular e indispensable para que éste funcione de modo adecuado. Tengo, por eso, toda una correspondencia parásita guardada entre mis papeles; cartas que resumen otras cartas (las copias no sirven), que activan algo sin ser nunca enviadas, aunque deben ser escritas para perfeccionar el circuito y para que mis amigos y yo nos comuniquemos sin tropiezos. En el fondo, no es muy raro. Más raro es confiar en el azar de los aviones o los barcos y entregar nuestras cartas y paquetes a esos frágiles medios de transporte con los cuales cualquier cosa puede ocurrir, como frecuentemente ocurre.

El encargo

El encargo

Para Juan Gustavo Cobo Borda

Llegó al concierto con un poco de anticipación y se dedicó a una de sus distracciones favoritas: estudiar las caras, leer en ellas esa mezcla de ansiedad e impaciencia que las hacía bullir más que en sus vidas ordinarias, puestas del otro lado de esta inmensa boca de cristal y acero que conducía a un hemiciclo con un nido de luces sobre el escenario. El concierto prometía ser bueno (primero un pianista, luego un conjunto de cámara) y él estaba contento de haber podido conseguir una entrada; pero también estaba preparado para la desilusión: era distinto escuchar a un músico en un disco y después en vivo. La música, pensó, es algo artificial, una sensación de irrealidad, que tiene que ver menos con las notas que con ciertas circunstancias casuales: la hora en que se la escucha o la necesidad que nos lleva a elegirla entre otras, podían ser más importantes que la música misma. En un concierto uno no escoge realmente ninguna de esas circunstancias y así la música sonaba para él menos interesante. Pero, de todos modos, aquí estaba, atraído por la promesa de un programa ecléctico.

Dejando que su mente vagara siguiendo las formas de racimo que la gente recomponía al entrar, su vista recorrió la cola que se había formado ante la ventanilla. Entonces vio la cara que sonreía en dirección a él. ¿Estaba seguro? Ya le había pasado antes la misma cosa ridícula: responder un saludo inexistente, o dirigido a otro. Pero esta vez, antes de querer confirmarlo, devolvió la sonrisa y empezó a caminar hacia ella. Apenas dio tres pasos, supo dónde había visto esa cara.

—Hola —dijo, mientras extendía la mano—, qué suerte encontrarte aquí.

La cara era del viernes pasado (hoy era martes), cuando él finalizó su ciclo de tres conferencias en el auditorio que estaba justamente a la espalda de la sala de conciertos. El auditorio había estado siempre lleno. A él lo asombraba la cantidad de gente que se interesaba ahora por la sociología. Cuando él tenía 30 años, su propia fe en la sociología era absoluta y la gente lo escuchaba con cierto escepticismo; ahora, a los 38, esa fe había cedido un poco, pero su audiencia era cálida, exigente —lo que él hacía era avivar cordialmente ese fuego.

—Más suerte necesito yo —dijo ella— para cambiar este boleto.

—¿Qué tiene?

—Estoy muy arriba y al costado, ahora me doy cuenta. ¿Tú dónde estás?

—En B-11. No está mal, creo.

—Nada mal. Si esta cola avanzase más rápido....

—La cola avanza. La que no avanza es la boletera.

Ella se rio con fuerza. Una rubiecita que se abrazaba con un muchacho de brazos como troncos, volvió la cabeza y los miró. El recordó que recién el viernes se había dado cuenta de que el rostro no se movía del mismo lugar, mientras los demás se repartían con sus cuadernos, sus carteras, a veces sus grabadoras, por diferentes partes del auditorio. Encontrar un punto en el espacio —una columna, un foco de luz, una ventana, lo que fuese— era para él una operación indispensable cuando hablaba en público: las decenas de caras alineadas frente a él le parecían estar mirando una vitrina; él prefería pensar que estaba ante una sola o ante nadie, como si hablase para él mismo. Ese rostro, que había usado como referencia y que ahora estaba frente a él, siempre desaparecía en la confusión final de personas que se arremolinaban para decirle algo amable, para hacerle preguntas sobre las perspectivas del futuro inmediato, como si él fuese un oráculo o, peor, como si no hubiesen entendido que sus conferencias eran precisamente un voto en contra de cualquier esperanza fácil. Esta era, para él, la marca de la indudable superioridad de las ciencias sobre las artes: los hombres siempre podían pintar o escribir mejor, pero sólo la ciencia podía explicar cómo y por qué, y destruir así la vana creencia de que los hombres eran tan buenos como sus obras.

—Seamos optimistas —dijo ella—. En realidad, pensé que iba a haber más gente.

—La gente es tonta: las cosas buenas ya no tienen éxito.

—Pero tú no te puedes quejar: tuviste mucho público.

—Lo digo precisamente por eso. Si ellos hubiesen leído mi libro, no habrían necesitado escuchar las conferencias y habrían podido aprovechar mejor su tiempo haciendo otras cosas. *Mi* público estaba básicamente equivocado: en vez de escuchar, debieron leer.

—Yo no. Yo conozco tus libros y fui justamente para ver cómo defendías tus puntos de vista después de los ataques que recibió el último.

—Gracias. Felizmente, siempre hay excepciones.

El éxito de sus libros era generalmente de naturaleza polémica; algunos de los mejores críticos esperaban su aparición casi relamiéndose los labios y se precipitaban sobre él como lobos sobre una presa. Mejor para él: luego venían sus réplicas y refutaciones, y todos reconocían que eran esos textos los que realmente hacían valiosos sus libros. El mismo admitía que no toda su estructura teórica tenía el mismo peso. Cuando sus colegas sentían que el terreno firme se acababa bajo sus pies, prudentemente se detenían; él seguía avanzando y podía encontrar, semihundido en el fango y la oscuridad, algún dato precioso. Lo irónico es que ese hallazgo reaparecía poco después en los argumentos de los que lo atacaban. El título de su último libro era casi una broma sobre el asunto: *Axiomas inaceptables: hacia una nueva sociología*. También fue atacado por hacerla; él prefirió guardar silencio: explicar una broma era absurdo.

—¿Cómo te enteraste? No hubo mucha publicidad.

—¿De tus conferencias o del concierto? —preguntó ella, pero se contestó a si misma de inmediato—: Del concierto me habló un amigo que luego no pudo venir.

—Mira... —empezó a decir él y luego se detuvo porque no sabía el nombre de ella.

—Rita.

—Mira, Rita, ¿por qué no cambiamos los dos boletos y nos sentamos juntos?

—Vas a perder un buen asiento, creo....

—Horrible tragedia. No puedo consolarme de tánta desgracia.

—Dáme el boleto, entonces —dijo ella, complacida, mientras la rubiecita volvía a echarles un vistazo.

Ahora que sabía su nombre, él la miró realmente, con toda intención, tratando de descifrar esa cara. Al revés de lo que suele pasar, Rita parecía más joven de cerca que de lejos: el cutis era cremoso y como translúcido; los ojos eran color vino, algo más oscuros que el pelo largo y alborotado; eso y la nariz un poco ancha y corta le daban un aire fogoso de leona. Los dientes, separados y pequeñitos, aliviaban esa impresión. El le había notado un acento, pero no sabía bien de dónde podía ser ella.

—¿De dónde eres tú? ¿Desde cuándo vives aquí?

—Adivina mejor de dónde soy. Te doy dos opciones.

El se arriesgó:

—¿Yugoeslava? ¿Húngara?

—Nací en Macedonia, pero me crié en Belgrado. Mi madre emigró conmigo cuando era una niña. Lo que recuerdo de mi país son más bien fantasías.

—Pero tu tipo, ¿es característico de los macedonios?

—No, la cosa se complica más porque mi madre tenía sangre griega; mi padre era berlinés (Berlín es lindo) y viajó por España y Portugal. Me enseñó malas palabras en español. *Coño,* por ejemplo. Pero sé que lo digo con un acento raro.

La rubiecita se volvió una vez más. El se rió, mientras le indicaba a Rita que, al fin, habían llegado a la ventanilla. La operación fue sencilla, porque la boletera, aunque lenta, era amable: consiguieron dos buenos sitios juntos. Abandonaron contentos la cola y empezaron a trepar las escaleras; se detuvieron en el primer gran descanso, giraron hacia la derecha y enfrentaron un acceso bien iluminado. Una acomodadora los condujo a sus asientos. El teatro se llenaba rápidamente. Un pequeño grupo aplaudió a alguien —algún músico conocido, tal vez— que acababa de sentarse en las primeras filas de la platea. Los dos se acomodaron en sus butacas y empezaron a hojear distraídamente el programa, más lleno de anuncios que de información musical.

El concierto fue realmente bueno, no extraordinario, pero sí impecable en concepción y realización. La opinión de ambos era, sin embargo, distinta sobre sus respectivas partes: a Rita le parecía que el pianista había sido superior al conjunto de cámara, más famoso que el primero. A él, en cambio, le parecía que al pianista le faltaba algo (no logró dar con la palabra) que le impedía ser totalmente convincente, algo que creaba una distancia entre él y su repertorio. Lloviznaba un poco cuando salieron a la explanada; él se alegró: el clima sería menos pesado mañana.

—¿Quieres tomar un trago? —propuso a Rita—. ¿O ir a algún lado, a escuchar más música?

—Conozco un buen lugar, siempre y cuando encontremos mesa. Mi auto está allá, a la izquierda.

Ella lo condujo a través de un espacio rodeado por una malla de alambre.

—Un momentito —dijo él—. ¿Qué clase de música tocan en ese lugar?

—Tangos.

133

—¿Tangos? Tú estás completamente loca. ¿Tangos?

—¿No te gustan? Yo creí que....

—Claro que me gustan. No es eso, sino que es imposible que en esta ciudad alguien toque o escuche tangos.

—Es cierto. El lugar se llama Fausto.

—Ahora vas a decirme que te gusta Gardel.

—Me gusta Gardel.

—Entonces yo estoy loco y no sé en qué clase de ciudad estoy. ¿También en Macedonia escuchan tangos?

—No, yo los escuché primero en Madrid.

—¿Tangos en Madrid? ¿Estás segura?

—Mis discos de Gardel están grabados en España.

El auto olía a su perfume, un almizcle suave y frutal, como de pera. Con las ventanas totalmente cerradas, él veía caer en silencio las mínimas gotas de lluvia sobre el parabrisas. Ella había encendido el motor, pero sólo se oía el zumbido del reloj. De pronto, apagó el contacto.

—Mejor no vamos a Fausto.

—¿Qué propones?

—Podemos escuchar a Gardel en casa.

—Mejor todavía: no tendremos que esperar por mesa.

Ella se sonrió y se quedó un rato pensativa.

—¿Qué pasa?

—Nada, trataba de recordar si tenía la cocina limpia. Sí, la limpié ayer; el lunes es mi día de limpieza.

—¿Vives sola?

—Sí, desde hace un tiempo. Y no me he aburrido todavía.

—Yo también viví solo un buen tiempo, pero ahora ya no. No por aburrimiento, sino porque me dieron un poco de miedo los hábitos que estaba desarrollando. Tomar cerveza en el desayuno, por ejemplo, o cenar de pie mirando el jardín.

—¿Eres casado? ¿Tienes familia?

—Sí y tengo familia, pero no vivo con ellos sino parte del tiempo. Casi cinco meses los paso fuera de casa, en el extranjero, viajando de un lado para el otro.

—Me encanta viajar.

—Sí, pero los aeropuertos me dan náusea, especialmente si tienen música.

Ella encendió otra vez el motor.

—A casa, entonces —dijo.

Mientras ella manejaba, él se distrajo viendo el perfil de la extraña ciudad, que en la oscuridad aparecía distinta: la noche hacía más notorias las construcciones viejas, encajadas entre los edificios modernos y sólo parcialmente iluminados. Pasaron por un barrio más bien industrial (le pareció que estaban dirigiéndose hacia la parte sur de la ciudad) y luego por otro, donde observó a muchos orientales, pequeñas tiendas de chucherías exóticas, bares de donde escapaba un fragor de pobres orquestas que sonaban como si sólo se compusiesen de contrabajos y platillos. El auto pasó debajo de una especie de puente o elevada construcción metálica, dio casi una vuelta en redondo y se detuvo frente a un edificio de cuatro pisos, alto y estrecho, como si tuviese sólo un departamento por nivel. Al frente había un letrero roto que parpadeaba diciendo: PIAN S.

—¿Qué piso? —dijo él.

—El último. No hay ascensor.

—Haremos ejercicio entonces.

La siguió mientras ella subía rápidamente. Los escalones rechinaban un poco; una radio transmitía noticias en el segundo piso; olía a flores en el tercero. El cuarto piso estaba pintado en un intenso color azul.

—¿Tu idea? —preguntó él.

—Sí, no te imaginas cómo estaba pintado antes.

—Lo hiciste bien. El azul es agradable.

El departamento tenía un primer ambiente, que servía de living y escritorio, y dos más pequeños. Uno de ellos era el dormitorio; el otro era una mezcla de cocina, baño, lavandería, lugar de depósito, repostería, corredor, etc. Parecía haber cambiado muchas veces de función y era graciosamente incongruente: uno podía vigilar el fuego de la cocina sin salir de la ducha. Una amplia ventana dominaba al fondo del living; desde ella se podía ver la calle, casi verticalmente. En los departamentos del edificio del frente, había aún bastante actividad; alguien regaba un gran helecho junto a su ventana.

El se sentó en un cómodo sillón mientras ella buscaba los discos. Encontró el de Gardel y lo puso. La arrebatada, la insensata vieja melodía se elevó en medio de la habitación y lo llenó de nostalgia, como si alguien hubiese abierto un cofre de antiguas cartas íntimas de una persona muerta. El canturreó, exagerando la ya desmesurada exaltación de la letra, adelantándose una fracción de segundo a Gardel. Ella, desde el suelo, se mecía suavemente, como si estuviese remando.

—Música de cabrones y de putas —dijó él entusiastamente—, pero qué buena es a veces. ¿Cómo podía ser que te gustasen los tangos y no te conociese? Estas cosas se consumen ahora sólo en sectas.

—¿Qué es sectas? —preguntó ella.

—Grupos pequeños, grupos secretos —explicó él—. Como la gente de Macedonia.

Ella le dio un fingido puñetazo en la nariz.

De pronto, se levantó, pidió permiso y desapareció. Como se fue en dirección de la pieza indefinida, podía ser que quería hacer algo en la cocina, ir al baño o retirar la ropa seca. El esperó un buen rato, acompañado sólo por la voz de Gardel. Se acercó una vez más a la ventana y descubrió que era peligrosamente baja, pese al sofá: una ventana para suicidas. Cuando se volvió, Rita entraba a la habitación, trayendo una botella y una bandeja con copas, cubierta con una especie de bata y convertida en otra persona.

—Me puse esto —dijo ella— porque hace un poco de calor. Es lo más cómodo que existe.

—Los japoneses también lo saben.

Se sentaron en el suelo. Mientras ella escogía un nuevo disco, él se volvió a observarla atentamente. Vestida para el concierto, Rita le había parecido atractiva, pero en un grado apacible. Tenía un vestido casi del mismo color del pelo, una pana bastante gruesa para la estación. No era ni ceñido ni suelto y casi no podía adivinar su cuerpo, salvo por las piernas, lustrosas bajo las medias. Pero ahora todo eso había desaparecido y alguien que había estado oculto ocupaba sorpresivamente el primer plano. ¿Cuál era Rita? ¿Eran Rita las dos? ¿Era Rita también esta mujer descalza y seguramente desnuda bajo la bata que había surgido de pronto como un personaje creado por una actriz? Más por curiosidad que por deseo, él alargó el brazo y tocó el suyo bajo la tela negra, brillante y tensa como el ala de un murciélago; sintió que el calor de la piel le adormeció los dedos, como si en realidad hubiese tocado hielo. Ella le entregó la botella para que la abriese.

—No tengo sino champagne y un poco de *tanoura*.

—¿*Tanoura*?

—Un pan árabe —dijo ella señalando un objeto grande, con la forma ovalada de un estadio y grueso como una almohadilla—. A mí me encanta.

—Es bueno —dijo él, mordiendo un trozo—. Y creo que es mejor si lo remojas en el champagne. Así, ¿ves?

—Yo lo como a veces con miel —dijo ella entre risas—. Pero no puedo mezclarlo con el champagne. Arruino ambas cosas. Salud.

Si alguien los hubiese visto entonces, habría dicho que eran dos personas felices. Por lo menos él lo era, aunque también se podía decir que estaba tan intrigado como feliz: seguía pensando en las dos Ritas y eso le daba a la reunión un carácter de extrañeza que él no podía ignorar. Un auto policial pasó aullando con desesperación (la luz submarina de sus reflectores se proyectó en la pared del frente) y ella se puso tensa; él continuaba tratando de develar el misterio. La nueva Rita, falsa o verdadera, era alguien minuciosamente irresistible, casi el modelo de la seductora, completamente distinta de la que le había lanzado una dulce sonrisa de reconocimiento en la sala de concierto. Una cadenita de oro bailaba entre los altos y compactos pechos de escultura etrusca (él había visto esas figurillas en Atenas, durante una conferencia de intercambio entre antropólogos y sociólogos); la cintura era mínima, apenas un espacio para servir de eje a las caderas que, bajo la tela oscura, parecían piedras pulidas por el mar; y debajo, casi completamente visibles, las piernas que aun sin las medias seguían luciendo sus curvas delicadas y aceitosas bajo la luz suspendida del techo. Ella lo sorprendió en esa demorada observación y acercó apenas su cara a la de él. Entendiendo mal ese gesto, él cometió su primer error: intentó darle un beso, lo que parecía entonces tan natural, tan necesario, precisamente ahora que la música sonaba para ellos sin que ninguno la escuchara. Ella lo aceptó cortésmente en la mejilla, pero rehuyó la boca. Las dos Ritas podían ser una, la primera. Pero él pensó también que, quienquiera que ella fuese, podía ser alguien que estuviese tratando de jugar juegos con él sin haber establecido primero las reglas; así es que decidió ser completamente honesto.

—Rita —dijo, sirviéndole un poco más de champagne—, te agradezco mucho que me hayas invitado aquí y me siento muy contento de estar contigo, en vez de estar tomando cerveza en un bar con mis colegas. Justamente eso me recuerda que yo no vine aquí contigo a hablar de la nueva sociología, sino a pasar un rato agradable. Yo esperaba —te lo digo ahora sin bromas— escuchar música, beber algo y charlar un poco contigo; es decir, conocernos mejor, lo que evidentemente necesitamos. Nada más, nada menos. No esperaba que tú cayeses en mis brazos apenas cerrásemos la puerta y rodar contigo en la cama. Tampoco esperaba que te cambiases y te pusieses esa bata. Es un gesto simpático de confianza conmigo. Besarte es otro. Pero tal vez me equivoque y yo entienda la situación de un modo indebido. Así es que te ruego me aclares si me estoy portando bien dentro de las circunstancias, o si mi conducta es intolerable. Quiero ser tu amigo, ¿sabes?, y tu respuesta me interesa mucho. Disculpa el discurso.

Ella dejó su copa sobre la mesa a sus espaldas; al hacerlo, él tuvo una visión inesperadamente generosa de sus pechos que parecían agitados por un leve temblor. ¿Era eso una respuesta? Esperó un instante más.

—Tienes razón —dijo Rita—, quien se está portando mal soy yo. No sé cómo explicártelo, es difícil.... Es difícil porque yo vivo sola, ya te lo dije.

—¿Y eso qué tiene que ver?

—Vivo sola, pero no siempre sola. Quiero decir que a veces vivo aquí con alguien, por períodos bastante largos. Nunca tengo "aventuras", o cómo se llamen. Me tomo en serio esas cosas: retengo a una persona a mi lado todo el tiempo que sea necesario para él o para mí, nunca más allá. Detesto los amantes de una noche: lo que me gusta, me gusta conservarlo. En realidad, hago lo que quiero pero no de un modo egoísta, no sé si me entiendes. Creo ser una buena compañera, eso es. Tal vez pienses lo contrario, pero mis costumbres no son....

Buscó la palabra y articuló unas sílabas trabadas.

—¿Promiscuas? —dijo él.

—Promiscuas. Nunca cambio compañeros por cambiar. Tampoco ellos me dejan. Nos alejamos mutuamente, sin herirnos, como si estuviésemos enfermos y las malas noticias pudiesen hacernos daño. La sensación de estar sufriendo por culpa de un amigo es algo horrible para mí y he tratado de desterrarla de mi vida.

El notó que los ojos de Rita se habían humedecido; su natural color rojizo ahora era casi negro y parecía un poco indefensa, con el pelo suelto y la cadenita mal colgada del cuello. El extendió la mano y le palmeó el muslo, como calmándola o animándola a seguir; ella agarró su mano, la mantuvo un rato entre las suyas, y continuó:

—Te explico ahora lo de la bata, pero trata de creerme. Siempre comenzar algo me cuesta trabajo; soy medio tímida o medio lenta. Entonces trato de cortar camino, digamos, y me trampeo un poco yo misma. Estoy desnuda bajo la bata, okey, pero es como si me hubiese puesto un disfraz. Un disfraz que me permite ser más franca, más directa contigo, aunque tal vez tú.... Oh, me confundo por completo, estoy diciendo tonterías.... Por cierto que quiero ser tu amiga, quiero conocerte bien, como tú dices. Pero ocurre que ahora estoy muerta de miedo. ¿De qué? No lo sé bien. Tengo la piel de gallina.

El sintió las manos heladas de Rita y entendió la ambigüa sensación de frío que su brazo le había producido antes.

—Mira —dijo ella como si hubiese arribado a una conclusión—: mi cuerpo quiere ser más audaz que yo, yo demoro en aparecer. Esa es la cosa.

—No te preocupes demasiado —dijo él, y le besó ceremoniosamente la mano—, puedes confiar en mí. Estoy bastante perplejo, pero no me importa. Ya me doy cuenta de que en nuestra amistad hay muchas personas.

—Eso, justo eso. Tú lo has visto con claridad.

—Te repito que estoy confundido como el demonio. Debe ser este champagne, que está buenísimo.

El tiempo se había convertido en algo benéfico y flexible. La sensación le pareció a él tan agradable que no quiso consultar su reloj. Vagamente tuvo la impresión de que era más de medianoche; el ruido del tránsito allá abajo producía ahora un zumbido ocasional; el letrero PIAN S se había apagado, dejando la O convertida en un gusanito azulado que se negaba a extinguirse del todo.

—Una cosa —comenzó a decir él—: ¿quién ha sido el último aquí? ¿Cómo se llama? Háblame de él. Pura curiosidad.

—Se llamaba Georgina pero yo la llamaba Gina.

—¿Georgina? ¿Tu amigo era una amiga?

—Fue algo muy especial en mi vida. Yo nunca antes... ¿me entiendes? Ni antes ni después me han atraído las mujeres. Fue algo distinto, una especie de fraternidad, no muy intensa, pero enormemente tranquilizadora.

—¿Y cuanto tiempo duró esa Georgina, o Gina?

—Siete, ocho meses. No te imagines que estábamos todo el día metidas en la cama, lamiéndonos como perras. Era otra cosa lo que yo encontraba en ella. Ahora no la necesito más y hablar de eso es como desfigurarlo.

—¿Y antes de ella?

—Daniel, un diseñador gráfico fantástico. Todavía lo veo y a veces tomamos un café, pero nada más que eso. Daniel fue, creo, el más importante de todos. Cantaba estupendamente, además.

—¿Tangos?

—No, tangos no, pero todo lo demás sí. Sírveme un poco de champagne. Estos recuerdos siempre son melancólicos.

El lo hizo e inesperadamente recibió un premio: ella se acercó decididamente y le dio un beso, breve pero profundo. Apoyado sólo en una mano, él volcó su propia copa y mientras ella le ofrecía su boca, sintió como el líquido helado se extendía por la manga de su camisa. Recordó que una reina había dicho que el champagne tenía dos virtudes: no emborrachar, no dejar manchas. Seguramente era una reina francesa; en sociología, el nacionalismo de los especialistas franceses era el peor y el más popular.

—Ahora —dijo Rita— es mi turno de preguntarte cosas.

—Cómo no, aunque antes déjame mudarme a ese sofá; ya me cansé de tu alfombra. Salvo que la verdadera Rita me deje pasar ya al dormitorio.

—No antes de que contestes siquiera una pregunta: ¿cuándo te regresas?

—Mi vuelo es para el jueves, a primera hora.

—Menos de 48 horas, eh.... Yo no debería haberte besado.

Volvió a besarlo y esta vez él tenía las manos libres, así es que la apresó con firmeza entre sus brazos. Ella se quedó allí, acurrucada. Cuando él la soltó y le arregló un poco el pelo, vio que los ojos de Rita lo miraban serios. Su voz sonó baja y triste:

—Menos de 48 horas. No lo sabía. No lo imaginaba.

—¿Adónde crees que me iba a quedar? Vine aquí sólo por las conferencias. Naturalmente, tengo que irme ahora que acabaron.

—¿No tienes otra invitación?

—No. Me hicieron una, pero no la acepté.

—Podrías decir que cambiaste de opinión y quedarte unos días más.

—Imposible. No puedo explicarte, pero es imposible. ¿No te parece que si tenemos 48 horas estamos perdiendo demasiado tiempo?

La abrazó nuevamente, con el afecto de un viejo amigo que lo recibe a uno en el aeropuerto. Sin saber por qué la besó en los ojos.

—Gracias —dijo ella—, pero tengo una idea: ¿por qué no cancelas tu hotel y te vienes aquí? Será divertido vivir juntos...ya que no podemos vivir juntos.

—Un poco complicado, pero lo intentaré: la idea es estupenda. Habían arreglado una entrevista conmigo en el hotel para mañana.

—Mándalos a pasear. Te van a encantar mis desayunos.

—Lo arreglaré de algún modo; no quiero ser descortés con ellos. ¿De qué lado de la cama vas a dormir tú?

—Gran problema: me cruzo todo el tiempo.

—No me importa, ya soy tu huésped. Mañana traigo mis maletas.

—Ven a cualquier hora: trabajo en casa regularmente. ¿Ves esa máquina? No es mía; es de una oficina de importaciones. Me pagan por traducir y copiar cosas para ellos.

Ahora estaban ambos de pie, abrazándose continuamente. La bata estaba abierta bajo los brazos de él, pero no dejó que sus manos avanzaran mucho sobre la piel ligeramente húmeda: quería demorar su placer a la espera de que los últimos signos de la timidez de Rita —cuando se separaban, ella volvía a cerrarse la bata— desapareciesen por completo y emergiese la mujer enterrada en alguna parte del cuerpo de la otra. Había aprendido a esperar, a no arrancarle nada por la fuerza. Lamentaba profundamente, en un grado que una hora antes hubiese sido impensable, el estar obligado a irse tan rápido; ahora él quería, no sólo tenerla, sino conservarla. Ella fue al baño y él aprovechó para fantasear un poco y urdir un plan para volver a verla muy pronto, digamos en tres o cuatro semanas. El tenía un nuevo viaje arreglándose y podía invitarla a ese lugar, siempre que ella pudiese abandonar sus obligaciones con la oficina. Claro, por qué no. Pero después se dio cuenta de que no era eso lo que ella quería: no se trataba de encuentros esporádicos o periódicos, sino de quedarse un buen tiempo con ella, en este departamento, y luego estar dispuesto a dejarla cuando eso fuese necesario. Rita regresó trayendo una almohada, que arrojó sobre la alfombra.

—Para tu cabeza —le dijo.

—O para mis codos; me los he golpeado veinte veces con las malditas patas de la mesa.

142

Ella le besó los codos como un animalito.

—Pobre —dijo—. Ahora estarás más cómodo sobre la alfombra.

—Odio tu alfombra. Más cómodo estaría en la cama, para decírtelo con franqueza. ¿Me autorizas?

—No, querido. La cama es para mañana. No desordenes mis planes. Te quiero mucho, pero no desordenes mis planes.

—Eres la persona más malvada que conozco. Peor que una bruja, peor que una madrastra.

El puso su cabeza entre sus senos y percibió en su boca el roce de unos pelillos de durazno que crecían entre ellos; los besó, cerró los ojos, sintió que ella le decía algo —alcanzó a oír "el pasado" o quizá "empezado"— mientras movía sus piernas para acomodar mejor su cuerpo al de él, y luego supo que se había quedado dormido por un minuto porque soñó con Rita viajando en un tren tan viejo que se caía a pedazos.

Cuando despertó no supo dónde estaba, pero sí que ella estaba jugueteando, como entre sueños, con su sexo erecto, y que él tenía los dedos hundidos en el de ella. Rita se deslizó con los ojos todavía cerrados (la bata se abrió y rodó a un lado) y se colocó debajo de él. Ella abrió los ojos, luego la boca como si se ahogase, y él descubrió que los dos estaban moviéndose entregados a un solo ritmo. Alcanzó a ver, tras la espalda de ella, un triángulo del cielo, virando ya del negro al lila, y oyó su voz profunda diciéndole:

—Yo soy Rita, querido.

Una de las cosas penosas —menudas, pero igual penosas— de su profesión era la cantidad de libros ilegibles que recibía. ¿Era su deber agradecer esos volúmenes no solicitados, con sus atentas dedicatorias (la dirección bien visible) y sus vistosos sobres de manila? Hasta ayer, ya tenía en su pieza seis de ésos, y dos revistas nuevas. En casa, los tiraba fácilmente al cesto de papeles, pero en el hotel era más difícil. En viajes anteriores, solícitos botones habían detenido a último minuto su taxi al aeropuerto para entregarle, a cambio de una significativa propina, esos tesoros abandonados pero rebeldes. "Se le olvidaron estos libros, señor." Sí, en muchos casos era civilizado agradecerlos con una notita, un elogio, algo personal. Se escribía mucha sociología en estos tiempos; cualquiera capaz de mezclar un poco de retórica, estadísticas y horóscopos podía ingresar a un campo ya atestado. El pensó en lo indispensable que sería tener una secretaria que se ocupase de esos asuntos. Recordó a Lisa, que era perfecta sacándolo de apuros por teléfono. Una lástima que ella abandonase la carrera. ¿Dónde estaría ahora?

La alarma de su reloj sonó para recordarle que debía reconfirmar su vuelo. Se rió porque casi era mediodía y él todavía estaba desperezándose en la cama, los pies fuera de la sábana, pensando si abajo habría dónde tomar un café a esta hora. Anoche (esta mañana) había llegado al hotel casi a las siete; en el ascensor se saludó con señoras que iban a desayunar temprano. No se sentía mayormente cansado en ese momento, pero durmió larga, sólidamente. Se irguió; tuvo la idea de llamar a Rita, pero la desechó: no quería despertarla.

En ese momento sonó el teléfono. Levantó el aparato.

—Querido —escuchó decir a la voz filtrándose entre unos raros ruiditos en la línea—, yo siempre pongo flores en la mesa del desayuno. Te informo que mis flores están ya marchitas y el café más que frío. Te esperaba antes.

—Lo siento, lo siento mucho. Justamente te iba a llamar.

—Mentiroso.

—Nadie cree a nadie cuando dice eso. Pero no importa. No quería despertarte. No sabía que eres como los pájaros. Yo me quedé dormido. Ni siquiera me he bañado.

—Pues házlo ahora. Me las arreglaré para convertir el desayuno en un almuerzo ligero que podremos tomar cuando llegues. ¿Qué dices?

—Voy volando. No, tengo que hacer las maletas primero. Te llamaré cuando esté por salir.

—Okey. Chao.

Desnudo y casi goteando de la ducha, fue tirando las cosas dentro de su maleta mientras llamaba a recepción para pedir su cuenta, y luego para pedir un taxi. Su único problema eran los seis libros. ¿Dónde ponerlos? Quedarse con ellos estaba descontado: eran un completo desastre. Los tomó y los llevó al baño; abrió el lavabo y los remojó hasta que la encuadernación se aflojó y entonces empezó a despedazarlos. Convertidos en una piltrafa los tiró al canasto; ahora nadie podía pensar que eran un olvido. Muy aliviado, bajó en el ascensor perfumado por la colonia barata de alguien que ya no estaba. El menú del día anunciaba "Pollo a la naranja con papas Provenzal." Sintió un poco de hambre, o más bien de curiosidad, por lo que Rita habría preparado. Cuando se acercó a pagar, el empleado le entregó atentamente un pequeño paquete: "Este llegó hoy temprano para usted. No quise molestarlo." Abrió el sobre y vio que eran dos libros más; el sobre era de un instituto naval, lo que lo predispuso un poco. Pero él era incapaz de desecharlos sin antes darles un vistazo; algunos libros de 300 páginas tenían un prólogo o un par de capítulos muy buenos. Siempre consideró la posibilidad de publicar una especie de antología de esos fragmentos y titularla *Rescates*. Metió los libros en su cartapacio y partió en su taxi. Lo manejaba un hombre calvo y sonriente, que escuchaba la radio tan alta que él le pidió suavemente que redujera el volumen. El hombre apagó la radio; él pensó que el chofer era un ejemplo de esas personas que creen que entre el ruido y el silencio no hay nada. Dio la dirección; el viaje le pareció placenteramente corto. Reconoció la puerta del edificio de Rita, aunque el barrio era totalmente distinto de día. "Voy a vivir aquí, donde ayer a esta hora no conocía a nadie," pensó y se sintió como un refugiado, un desplazado pero puesto bajo la protección de alguien. Tocó el timbre y escuchó la voz de ella cantando un "Ya voy."

La visión de Rita era deslumbrante: tenía una corta túnica blanca, muy ligera, debajo de la cual asomaban unos pantalones de seda color crema. Todo le daba un aire chinesco. Tenía las manos ocupadas: en una sostenía una flor y en la otra una cacerola. Lo besó casi furtivamente y le dio la flor.

—Esto es todo lo que queda de la maravilla que te compré.

—No está mal. Para mí está perfecta. ¿Cómo se llama?

—No me acuerdo —dijo Rita, dándole una patada a la puerta—, pero es una especie rara que se abre a media mañana y se muere definitivamente un rato después. Carísimas, pero adorables. Acomoda tus cosas en el dormitorio, he dejado espacio para ti.

El levantó su maleta, pero retrocedió para darle otro beso mientras la agarraba desde atrás por la cintura; sintió la carne compacta de sus muslos adhiriéndose a los suyos como si tuviesen una sustancia pegagosa.

—¿Te gusta? —dijo ella mostrándole la cacerola, que contenía algo con unas legumbres verdes como loros—. No es fácil conseguir éstas ahora.

—Yo como cualquier cosa que tenga buen sabor. No pregunto de dónde sale, con qué vísceras está mezclado, si contiene sal o colesterol. Eso luce magnífico.

—Suéltame ahora porque tengo algo en el horno.

El entró al dormitorio por primera vez y tuvo una gran sorpresa. Todas las paredes estaban cubiertas por cuadros que no sólo eran del mismo tamaño, sino evidentemente del mismo artista. Debían ser unos quince dibujos, todos de líneas simples y puras, que combinaban fondos geométricos con desnudos masculinos y femeninos; entre los últimos, él reconoció el cuerpo de Rita: de espaldas, reclinada, peinándose. Cuando terminó de examinarlos, Rita apareció en la puerta.

—No sabía que pintabas —dijo él.

—Bueno, sólo dibujo. ¿Qué te parecen?

—Son muy extraños, muy buenos. Todos me gustan por algo. Bueno, éste —y señaló uno donde ella estaba desnuda sobre su propia cama, que él reconoció por los vagos pájaros del cobertor— es un poco discutible; hay algo que no salió bien.

—Claro, ése es el más antiguo. Mira, allí tengo el pelo corto.

—¿Es difícil hacer autorretratos?

—No, si usas un espejo grande, como éste.

—Yo pensé que era más importante la imaginación, mejor dicho, la imaginación de la observación.

—Cuando te observas a ti mismo nunca eres objetivo; siempre mientes de algún modo. Si no, sería demasiado fácil, ¿no es cierto?

—¿Dibujar, dices?

—No, sencillamente vivir. También dibujar, ahora que lo pienso.

—Me muero de hambre —confesó él— Desde anoche no he comido sino ese pan árabe tuyo.

—Y ahora lo volverás a comer porque compré más. Pero antes me parece que deberíamos darnos un beso. Me siento tan feliz que sólo quiero confirmar que no estoy sola, imaginándolo.

Se anudaron en un abrazo mientras todavía se reían, satisfechos. La lengua de ella se movía con impulsos cortos, impidiendo y a veces facilitando los de él. En un momento, ella empujó la cabeza de él hacia atrás y la hizo golpear contra el marco de la puerta. Siguieron besándose mientras ella le frotaba la cabeza; luego lo soltó tiernamente.

—Querido, antes de que te mate, déjame darte un poco de comer. Tenemos que controlarnos un poco. Podemos ser locos, pero no irresponsables.

Sin exagerar un ápice, él pudo calificar el almuerzo de magnífico: la ensalada tenía trozos de naranja apenas helada y luego vino una carne ligeramente rosada que —dijo ella— era lo que había querido darle como desayuno. Comieron uvas tan maduras que parecían pasas.

—Mierda —dijo él, levantándose de un salto—. Mierda. Me olvidé de cancelar la entrevista en el hotel. Pásame el teléfono.

Tras intentarlo dos veces, logró dar con la persona, que debía tener una voz potente porque resonaba como un trueno en el receptor; Rita pudo seguir sin dificultades la conversación mientras comía las últimas uvas. Lo oyó mentir hábilmente, inventar una complicación inesperada en el vuelo de regreso. La voz fue calmándose, él se mantuvo siempre convincente. Cuando cortó la comunicación, él sintió el alivio de alguien absuelto de un delito grave.

En el living ella le dijo:

—Anoche no hubo tiempo para seguir preguntándote cosas. ¿Cómo eras de niño?

—Inmensamente gordo. Me metía todo el tiempo los dedos en la nariz. Tenía horror del mar. Los paseos al campo me molestaban, especialmente después de que me caí de un árbol y estuve enyesado un mes. Era bastante tranquilo, olvidadizo, dormilón. Fue una infancia relativamente feliz, aunque algo monótona. Lo que más hacía era aburrirme.

—¿A qué edad te acostaste con una mujer?

—Comencé no muy temprano. A los 15 o 16, creo. Fueron experiencias bastante horribles, fugas de una hora con alguna muchachita de ropa interior sucia y manos sudorosas en el auto de un amigo. Lo hacíamos en pandilla, lo que resultaba peor. Después, los amigos nos interrogábamos mutuamente e inventábamos las monstruosidades más increíbles: sexos potentes como armas, órganos expuestos como trofeos de caza, orgasmos en horario continuado, aullidos de placer que escuchaba hasta la policía.

—Qué porquería, qué vergüenza —dijo Rita, dándole el consabido puñetazo cariñoso en la nariz. El siguió:

—Luego vinieron dos o tres amantes serias y expertas, que me educaron y enseñaron lo necesario para que yo siguiese improvisando y descubriendo por mi cuenta. Maravillosas mujeres, casi un par de madres (eran mayores que yo) que me sacaron de la estupidez de la adolescencia. Los primeros veinte años de la vida son puro desperdicio, aunque uno cree que lo sabe todo. Deberíamos nacer a los 21 años.

—El algunos casos no sería suficiente. Pero, dime, ¿cómo conociste a tu esposa?

—¿A cúal de ellas? Me casé dos veces.

—A la primera, entonces.

—En el Instituto. Aunque fue la primera mujer que quise sólo para mí, ya ni me acuerdo bien de ella, pero contó bastante. Yo tenía 23 años, así es que te puedes imaginar. En cuatro años ella se había convertido en una actriz relativamente importante y decidió que yo era un obstáculo en su carrera. Me dejó de manera bastante considerada y yo no sufrí mucho porque en realidad sentí que, sin haber dejado completamente de querernos, nuestra relación no iba a ningún lado: hacernos cariño nos hacía daño. Luego vino Alicia, viuda y adinerada. Aparte del primer año, que fue pésimo, nuestro matrimonio funciona como un pacto, sólido y frágil a la vez, de acuerdo con nuestra lectura de la letra y el espíritu del pacto. Ella es enormemente generosa, pero totalmente incapaz de actuar por su cuenta. Es difícil enojarse con una inválida del espíritu, menos dejarla. Lo asombroso es que amo su paciencia y su calma; a su lado, mis defectos lucen menores y eso nos agrada a los dos. Somos una pareja muy moral.

Estaban en el mismo sofá de la noche anterior, Rita con las piernas sobre las rodillas de él. Ella se movió para decirle:

—¿Qué prefieres: quedarte aquí todo el día o salir un rato?

—Me es absolutamente indiferente si estoy contigo y si no me dices qué haremos fuera. Tú eres la de los planes, tú conoces el barrio mejor que yo.

—Mi plan, por cierto, es no dejarte libre un minuto, devorarte, enterrarte vivo en esta tumba. Pero creo que necesitamos comprar algunas cosas. Con ese pretexto puedo mostrarte un par de cosas interesantes: un parque acústico y una tienda donde tú puedes hacer tus propios marcos. Tengo un dibujo por colgar.

—Comencemos por el parque.

Ella se quitó la túnica de inmediato y él admiró otra vez la piel más clara y leve, como de membrana, de sus senos. Tomó un vestido beige de una silla y se lo puso por la cabeza, igual que una funda; después, púdicamente, cubierta por el vestido, se quitó los pantalones y le dio la espalda para ponerse un bikini color tabaco, deslizándolo mientras movía las piernas como lo haría una niñita que acaba de orinar en un bosque.

Salieron. El auto de Rita los llevó por una zona con muchas subidas y bajadas, con urbanizaciones nuevas de casas retiradas y prósperas, con cafés animados sobre todo por turistas. Luego enfilaron por una larga avenida y giraron por una plaza circular que ya parecía de otra ciudad. Se bajaron. El paseo fue divertidísimo: jugaron como un par de muchachos un día de asueto, se embarraron las rodillas, él tuvo un pequeño incidente con un guardián del parque. En verdad, era un parque acústico, no sólo porque la disposición de los árboles creaba un enclave apacible desde el que uno podía contemplar el paso de los automóviles casi como en una película muda, sino porque —y ésta era la sorpresa específica de Rita— en un rincón había un gran banco de piedra en forma de arco cuyas propiedades eran increíbles: si Rita se sentaba en un extremo y él en el otro, podía escuchar lo que ella musitaba contra el lustroso respaldo y aun su respiración. Como si se las soplase al oído, le dijo en broma una cantidad de obscenidades y al final, en un susurro: "Este es el teléfono público más grande del mundo." Luego pasaron una hora muy entretenida en la tienda de marcos, pese al pequeño corte que ella se hizo con un vidrio. Trabajaron entre carcajadas, él cortando los trocitos de madera, ella escogiendo y adaptando un *passe-partout* color ceniza para su dibujo, que quedó precioso. Tomaron helados, ella compró cosméticos y algo "femenino", que después resultó ser un depilador; cansados, se derribaron en un bar con mesitas redondas tan pequeñas que parecían pedestales, y pidieron un solo trago inmenso para los dos, que casi se les cae, porque al tomarlo sus cabezas entrechocaban a cada rato Finalmente, antes de volver a casa, compraron algunos víveres, sin olvidarse del champagne y el pan árabe.

Cuando entraron al departamento, el cielo era una batalla rosada entre la tarde y la noche. Durante un minuto no hicieron sino contemplarlo, entre caricias distraídas. El no pudo dejar de decirle: "Me siento completamente vivo. Si extraño algo es por puro aguafiestas." Ella asintió con la cabeza. Suavemente, le condujo la mano al borde inferior de la funda que la cubría, para que la levantase. El la descubrió con lentitud, como si fuese un monumento; bajó las manos y le quitó el bikini. Luego la cargó y entró, cantando algo triunfal como una marcha, al dormitorio.

—Tu cama es como un altar: hay que hacer méritos para

trepar en ella.

—No te quejes, querido —dijo ella, muriéndose de risa—. En realidad, has entrado bastante rápido. Yo no soy *así,* ya te lo dije.

Hicieron el amor muchísimo más tarde (un reloj dio unas campanadas en ese momento, pero él no quería contarlas), cuando estaban exhaustos, saturados uno del otro: ya saciados, se saciaron. Lo pudieron soportar gracias a algunos períodos de descanso, incluso de sueño, en los que coincidieron sin dificultad. Sintieron calor, sintieron frío (ella se puso una blusa de gasa); sintieron sed, también sintieron la nada alrededor de ellos, mientras la cabeza y los sentidos de ambos se expandían sin límites, como globos ascendiendo entre nubes. El observó que, aunque los movimientos de Rita eran agitados, no dejaban de ser regidos por cierta gracia, por ciertas mareas que la ritmaban de modo preciso; y sólo se quejaba en voz muy baja, con un llantito y un temblor de perro faldero que le dejaba los labios completamente helados. En algún momento (no había antes ni después: sus cuerpos no registraban las horas) su mano repasó atentamente el surco que dividía las nalgas de Rita. La volcó y la examinó; lo que sus dedos tocaban era un lunar del tamaño de una lentaja en la parte alta del surco. Lo besó, lo lamió; dibujó con la uña un aro alrededor de él e imaginó un collar. La boca de ella parecía estar simultáneamente en las orejas de él, en su ombligo o en el costurón de los testículos. Hablaron del lunar y de una diminuta marca blanquecina que ella tenía en el abdomen: un accidente de niña. De pronto, él se encontró otra vez con las nalgas de Rita pegadas a su cara, y las entreabrió; la guitarra de la cintura se dobló y él afirmó un brazo sobre ella, asegurándola otra vez volcada. Con infinita calma, su mano recorrió el hondo surco, tan apretado entre los sedosos hemisferios que era casi inaccesible (ella contuvo las cosquillas); contempló el dorado esfínter plantado al fondo como un ojo dormido y, más abajo, la ranura festoneada del sexo, ornada con un velo negro. Ella le aprisionó la cabeza y él cayó mil veces en un pozo oscuro y luego en un patio de jazmines y después en una playa de moluscos y antenas y resinas y también en un surtidor azul y otra vez en el pozo y en el patio. Después de que hicieron el amor, olvidados de sí mismos, no durmieron, sino que despertaron a la normalidad de un cuarto con las ventanas abiertas, una cama deshecha y un tiempo que, a pesar de ellos, marchaba inexorable.

El se acordaba perfectamente de lo primero que le dijo a Rita después de retornar a esa realidad vacía:

—Esto no entraba en mis planes ni en los tuyos, pero yo no tengo la menor intención de acabar contigo cuando me vaya mañana. Perdóname.

Ella le besó los dedos, uno por uno.

—Te lo dije: no debí comenzar algo que iba a terminar tan rápido.

—Bueno, puedo volver aquí antes de lo que te imaginas. Puedo...

—No me encontrarás, lo siento.

—¿Por qué? ¿Dónde vas a estar?

—Mira, dejemos las preguntas para después. Ahora tengo un poco de hambre.

Se sentó en la cama y se anudó el pelo alto sobre la nuca; se parecía extraordinariamente a uno de sus dibujos. Prosiguió:

—Son más de las tres de la mañana. Como tu avión parte a las siete y media, en vez de dormir tendremos una cena con varias clases de queso, más champagne y pan árabe, por supuesto. Y si quieres postre, tengo *chocolaste*.

—¡*Chocolaste*! —gritó él y rodó de la cama sacudido por sus carcajadas—. ¡*Chocolates*, grandísima ignorante!

—Oh, perdón, querido —dijo Rita, dándole un vengativo mordiscón en el hombro—, siempre confundo esa palabra con los verbos: *colocaste, chocaste,* tú sabes.

Los quesos estaban deliciosamente frescos. Había una tajada cubierta con una lámina de aluminio que, sin embargo, se mantenía temblorosa y despidiendo un fuerte olor a cerezas. El, por jugar, se había puesto el bikini de ella, y ahora se sentía tan cómodo que se había negado a quitárselo, lo que la había puesto furiosa. Sobre su cuerpo desnudo, Rita se puso sólo un delantal que tenía un bolsillo central en forma de tomate; cuando ella se volvía, él le tiraba pedazos de miga del pan árabe en las nalgas descubiertas. Limpiaron un poco la cocina; Rita le pidió volver a la cama con el resto del champagne helándose en un macetero de plástico, pero antes preparó lo que ella llamaba un "sandwich de música", o sea tres discos de lo más disímiles, "para ver si los sonidos se mezclaban". Eligió Bill Evans primero y al final Astor Piazolla, poniendo al medio el Adagio de Albinoni. Esta última elección provocó una explosión de entusiasmo en él porque era algo que le gustaba tanto que siempre había deseado lo enterrasen a los acordes de esa música.

El "sandwich" salió bueno. Ella abrió las piernas satisfecha y lo atrajo hacia sí. Esta vez hicieron el amor en un estado de lenta serenidad, con una dulzura prepubescente de primos que han pasado toda la infancia juntos. El siguió descubriendo cosas en Rita que tenía que haber visto antes pero que la fiebre de las veces anteriores se había llevado consigo. Ahora usó el método y la fría deliberación de un médico entregado al caso que examina. Los pezones de Rita no eran oscuros sino intensamente rosados, como si estuviesen desollados y poseían la consistencia de borradores; tenía dos hoyuelos sobre los riñones, pero uno de ellos desaparecía si levantaba el brazo del mismo lado; los vellos del pubis, del color de dátiles, eran increíblemente largos y delgados, apenas rizados, como la cabeza de un mono. Pero lo que más lo fascinó —él le dijo que no había visto jamás una perfección igual— fue apreciar la forma como los muslos se unían y rotaban en la ingle, casi sin solución de continuidad; la juntura estaba marcada sólo por una línea más delgada que un cabello, y había que esforzarse por encontrarla; en descanso, el tronco y el muslo impecable eran una sola compacta duna de carne. El la usó varias veces de almohada mientras hablaba de espaldas a Rita. En esa posición volvió a hacerle la pregunta:

—¿Por qué no vas a estar aquí? ¿Por qué no puedo verte

más?

—Es un poco largo de explicar.

—Bueno, comienza de una vez.

Rita vaciló, pidió más champagne. El se dio cuenta de que estaba buscando pretextos y luchando consigo misma. La impericia del esfuerzo le hizo ser un poco duro:

—Vamos, déjate. de tonterías.

De inmediato se arrepintió porque vio ensombrecerse el rostro de Rita; cuando intentó calmarla, ella se arrojó en sus brazos sollozando malamente. El se sintió peor: la situación lo dejaba en una total oscuridad. El llanto había estallado con sus palabras, pero venía de mucho más atrás. ¿De dónde?

—Cálmate —le dijo él—, calmémonos. No me interesa sino escucharte, saber qué pasa. Por favor.

Rita lo miró en silencio, sorbiéndose las lágrimas; por un segundo, sus ojos tuvieron un frío de cuchillos. Había algo como odio en ellos. El sintió la garganta seca y una dificultad para decir lo que le dijo:

—Si hay algo que no me has dicho, éste es el momento. Sólo tengo unas pocas horas para ayudarte, si es que puedo hacerlo.

—No tengo más remedio que decírtelo —dijo Rita, apretando cada palabra con una voz metálica—. Lo que pasa es que pensé que iba a ser más fácil después de todo, y no es así: es peor. Es peor.

Sus ojos se humedecieron nuevamente; el maquillaje corrido por las mejillas le daban un aire de payaso triste que acaba de recibir su bofetada. Un sonido en la calle le hizo notar a él que el primer disco se había acabado: el piano no cesó, sino que se alejó como si alguien se lo estuviese llevando de viaje. Esperó pacientemente; esperó mirando los cuadros, el espejo donde ahora sólo podía verse él mismo, desnudo y de rodillas sobre la cama: solo, absurdo, inservible. La tocó ligeramente y percibió otra vez la quemadura de hielo.

—Tengo un trabajo peligroso... —comenzó la voz desfigurada y él no pudo contenerse:

—¿Escribiendo cartas comerciales?

—No me refiero a eso. Mi trabajo verdadero es otro. Mejor dicho, no es un trabajo. Es una misión...

La cabeza de él pesaba sobre sus hombros; no sabía cómo ponerla para que no molestase.

—¿Qué clase de misión?

—Digamos política, aunque es más que eso, mucho más. Comenzó hace un par de años, de modo un poco casual. Nadie me convenció de nada; me fui convenciendo mientras empezaba a actuar. Hacer las cosas te ahorra preguntas, te ahorra mucho tiempo. En realidad, fui yo quien me acerqué a ellos y no al revés. Cuando uno entra, ellos ya saben bastante de ti porque te han estado probando, aceptando, sin que tú te des cuenta.

—¿Quiénes son ellos? ¿Quiénes te aceptan? ¿De qué diablos me estás hablando?

—Espera un poco —dijo Rita, ya más calmada—. Ellos son la Organización, la Orga, para abreviar. No te puedo decir mucho de ella, aunque quisiera. La Orga, naturalmente, es secreta. Pero todos saben bien de qué se trata y que trabaja para la causa palestina, en cualquier parte del mundo. Sus metas eran, al comienzo, más amplias y abarcaban a todo el mundo árabe. Ahora la prioridad es el asunto palestino y su método es la acción directa. Tú tal vez no imagines lo que me cuesta hablar de esto, no por mí, sino por los compañeros: *nadie* que no pertenezca a la Orga sabe quién pertenece a ella. Los estoy traicionando ahora mismo, ¿entiendes? Teóricamente, si alguien hace lo que yo estoy haciendo, debe ser eliminado, igual que el intruso que se enteró. Por cierto, yo sé que no vas a hablar de esto con nadie, yo confío en ti. Pero si todos empezamos a hacer este tipo de confesiones, la Orga se arruina por completo y entonces la policía de aquí nos aplasta sin problemas. Esto es una cosa seria; de vida o muerte, aunque eso suene muy dramático. Incluso hay personas que están formando parte del sistema sin saberlo; son como correas de transmisión que funcionan un poco a ciegas. La Orga lo hace así justamente para protegerlos, porque sabe que no todos tienen la misma capacidad de, digamos, entrega a la causa. Por ejemplo, mi enlace inmediato es un muchacho que todo lo que sabe es que yo recibo de una imprenta un material para corregir; eso es lo que dicen los sobres que le entregan y que yo recibo aquí. Al mismo tiempo eso me protege a mí porque el muchacho opera de amortiguador entre mí y los de arriba. Yo sé más que él, pero sólo hasta un nivel intermedio, para no facilitar el acceso de un intruso hasta los tipos importantes. Y si yo "caigo", caigo sola y las células pueden seguir funcionando, mientras un abogado nuestro trata de demostrar que yo era una loca, una neurótica, que inventó una gran patraña por su cuenta. De hecho...

Rita se detuvo porque advirtió que él ya no la atendía, aunque al comienzo estaba absorto en su confesión. El apretó los ojos para hacer fugar unas lucecitas azules y picantes que bailaban frente a él. El Adagio estaba ya desenvolviendo los rizos de su melodía, elevando el gemir de las violas a la altura casi exasperada del órgano. El sintió el placer de poder desconectarse de ese dormitorio, que ahora le resultaba tan extraño, y escuchó la música con sus poros, como un baño de agua fresca. Levantó la almohada que se había deslizado tras él, la colocó bajo su cabeza apoyada en el respaldo y lentamente se dirigió a Rita, a los ojos de esa mujer que se parecía tanto a Rita.

—Todo lo que me dices es una mugre completa; no me interesa en absoluto. Y no me interesa porque se basa en un error criminal, maquillado con simpáticos homenajes a ciertas pasiones de moda, pero viejas como el mundo. El error es la soberbia de pensar en nombre de otros, el de convertir a un grupito en propietarios del destino de un pueblo, de una cultura o de lo que sea. Tú dices que lo que hacen es una cosa seria, pero a mí me parece una aventura de amateurs que, claro, puede volverse trágica.

—¡Amateurs! —chilló Rita, tirando la almohada sobre la cama—. Es la gente más dedicada, más generosa y desprendida que he visto jamás. Jóvenes o viejos, todos actúan con un sentido de responsabilidad extrema. Quizá tú no sepas que gente así existe; en tu Instituto vives rodeado de estudiantes cuyo mundo se viene abajo si les pones una nota baja, o de colegas que están haciendo méritos para mejorar el sueldo.

El percibió la intención ofensiva, pero no logró sentirse herido, como si la misma furia de Rita le hubiese hecho errar el blanco; sintió pena, un fastidio general, y nada más. Le pareció que era mejor dejar la discusión allí y largarse. Empezó a vestirse desganadamente. Se puso un calcetín. Sintió la mano de Rita en su hombro:

—Perdona —le dijo—. Yo sé que no eres como ellos. Pero yo tampoco soy como tú crees. Yo no soy una fanática.

—Pero trabajas con fanáticos. Cuando ellos ponen una bomba, tú no puedes sacar un cartelito que diga: "No me solidarizo necesariamente con...", etcétera. Si trabajas en un burdel, eres una puta.

—Tienes la cabeza llena de prejuicios, eres muy rígido. Las cosas no son así, en blanco y negro.

—Y tú me lo dices...

—No me importan tus ironías. Escucha: la Orga es muy grande y tenemos de todo: médicos, filósofos, profesores, estudiantes, amas de casa, gente como yo, sociólogos como tú. La diferencia es que no pensamos sólo en nosotros y en nuestras maravillosas profesiones u ocupaciones como el límite de lo que podemos hacer. Queremos hacer algo más, y lo hacemos. Yo no pongo bombas.

—Porque hay otros que las ponen mejor y no sufren desmayos cuando estallan en un aeropuerto o en un hotel y los niños y mujeres vuelan en pedacitos. Amateurs, pero especializados.

—Oh, déjame hablar, no repitas lo que dicen los periódicos. Para ti es muy fácil hablar así; eres honesto y responsable en lo que haces, eso lo sé, pero lo eres porque tienes tu casa, tu familia, tus viajes, tus amigos, tus libros y tus discos. Y, además, tienes tu país, sirva para lo que sirva: estás protegido. Los palestinos, entiéndelo, no tienen nada que puedan llamar *mío,* ni siquiera un suelo. Y a ti te ofende que quieran darles una lección a quienes le arrebataron el suyo.

El ya tenía el otro calcetín en la punta del pie; lo arrancó violentamente y lo hizo volar por el aire. Rita se acariciaba nerviosamente un brazo. Parecían dos muñecos cuyas cuerdas hubiesen sido rotas por un niño malvado. Era posible sentir compasión por ellos, pero también un poco de risa: se esforzaban por entenderse, pero habían traspapelado sus diálogos.

—¿Tú crees que no lo sé? —dijo él—. ¿O que lo sé y no me importa? Tú, que dices haber leído mis libros, no puedes pretender que yo me he callado sobre la cuestión; algo debes haber aprendido de allí, ¿verdad? Incluso algunos me consideran pro-árabe, y tal vez lo sea. Lo que seguramente no soy es un iluminado que convierte sus opiniones en símbolos absolutos, en defensa de los cuales arma a un grupo de hombres para que maten a los otros. Soy un sociólogo y como sociólogo soy también un político, aunque ajeno al poder real. Pero cuando la política se vuelve una religión (o se abraza con ella), empieza a importarme un cuerno. ¿Qué puedo hacer? No creo en las guerras santas. Los muertos son siempre muertos, y el que gana es siempre un asesino.

Rita se animó al descubrir una debilidad interesante en lo que él acababa de decir:

—¿Ves? Eres un fanático y no te das cuenta. Hay guerras justas y hay guerras sucias, tú no distingues. Allí reside todo el problema.

—No, estás equivocada otra vez. El problema va más allá y no finjas lo contrario para arrinconarme junto con los ya condenados. Israel para ti no tiene razón de ser, ¿no es cierto? Bueno, para mí sí. Ya sé, ya sé que es un país inventado por una comisión de la ONU y negociado en una mesa con ingleses que fumaban pipa; y también que su política exterior consiste en combatir el terrorismo con el terror diplomático, una paranoia intolerable. Pero, ¿qué ibas a hacer con los millones de judíos refugiados y sobrevivientes de la guerra? Ellos también habían perdido sus países, y antes habían sido expulsados de su tierra prometida. Pero dile ahora a un israelí que ésa tampoco es su tierra y que tiene que empacar una vez más. Los palestinos son un pueblo cautivo, pero no sólo de los judíos, sino también de Arafat y su OLP. No me digas que tu solución del problema es un estado independiente cubierto de fosas comunes de los ejecutados por sospechosos de ser projudíos; no me digas que te gustan los juicios populares. Un Ayatollah en el mundo ya es suficiente, no me importa si a este otro le gusta besar a los niños frente a las cámaras. La situación de los palestinos es trágica, pero no es una condición *palestina:* cualquier pueblo sin tierra sufre igual. Y hay montones, debo informarte. Y para ser consecuentes deberíamos pensar que después de que arregles el asunto palestino, deberíamos arreglar el de los armenios, el de los países bálticos, el del Imperio Austro-Húngaro, etc. Así podemos llegar hasta la caída de Bizancio, que ya es un problema de proporciones. Y hay más: debemos arreglarlos bajo la doble amenaza de las bombas de gente como la Orga y de las cabezas nucleares. La guerra santa está en todas partes. Morir acribillado por una metralleta de un combatiente de la libertad o incinerado por la nube atómica de una potencia, me da absolutamente igual. Pregúntales a los niños de Vietnam.

Respiró profundamente y buscó su copa: estaba vacía. ¿En qué momento se la había tomado? Alzó la botella y vio que apenas había un poco. Se lo ofreció a Rita, que cubrió su copa para decir no. El se echó el resto y probó un sorbo; ya caliente, el champagne olía más a alcohol que antes. Sintió un clic en la otra pieza y descubrió que lo que había estado escuchando, como si fuese un recuerdo de la música y no la música misma, era el irremediable final del Adagio. El único defecto de esta obra, pensó, era que apenas duraba unos ocho minutos, como si a Albinoni (o al que arregló el fragmento, porque aquí también habían muchas manos y mucha historia) se le hubiese acabado la inspiración o el entusiasmo. Alguna vez él había planeado una idea salvadora: grabar el Adagio consecutivamente unas seis veces, para convertirlo en un concierto. ¿Acaso iba a sonar más repetitivo que uno de Vivaldi? Como todos sus mejores planes, no había llegado a realizarlo.

—¿Cómo? —le preguntó a Rita, porque ella le había dicho algo que no alcanzó a oír bien.

—Esas tierras fueron siempre de los palestinos —repitió pacientemente Rita—. Hasta la Biblia lo dice.

—Deja en paz la Biblia. Es un libro clásico y por lo tanto puede servir a cualquier causa. Lo que yo digo es distinto: no podemos modificar el pasado, pero podemos evitar que el futuro sea peor, o hacer que al menos exista para elaborar bases estables de entendimiento sobre las diferencias, en vez de usarlo para vengar afrentas pasadas. Así no acabaríamos nunca. Los apestados de la historia son demasiados.

—Eso es fácil decirlo —replicó Rita, lamentándolo de veras—. Millones morirán antes.

—Bueno, por lo menos no los mates tú, o tu Orga. Por otro lado, te pediría un poco de lógica y comenzar primero por casa. Tú, que naciste en Macedonia, ¿cuándo tendrás tiempo de ocuparte del problema de los servo-croatas? ¿Y cuándo discutiremos seriamente la delicada situación de los montenegrinos? Y una vez que todo eso esté resuelto, ¿qué hacemos con el modelo yugoeslavo: encarcelamos a los disidentes o mejor a los viejos stalinistas? Tu país es un rompecabezas y no puede dejar de serlo, a menos que el resto del mundo se compre sus problemas. Así estamos: somos verdaderamente internacionalistas.

—Justo por eso no interesa de qué nacionalidad es uno: siempre hay que defender a otros, especialmente si son débiles y han sido despreciados por la opinión mundial.

—La Cruz Roja piensa igual.

—No me importa: sé lo que estoy haciendo. Mejor dicho: *quiero* lo que estoy haciendo. Por eso —agregó, pero se detuvo como embargada por una gran emoción, que contuvo con esfuerzo: él vio cómo la barbilla trataba de hacer pasar la saliva—, por eso he aceptado el viaje a Beirut.

—¿Qué viaje a Beirut? —preguntó él— ¿A hacer qué?

Apenas hizo las preguntas, se dio cuenta de su inmensa estupidez: se imaginó perfectamente la situación y casi prefería ahorrarse los detalles. Volvió a pensar: "Mejor me voy ahora mismo al aeropuerto. Dormiré en un sillón siquiera una hora." Ya no había nada de champagne, ya no había pan árabe, sólo unas migas sobre la sábana maltratada, húmeda, arrugada con ellos encima, como un sudario. No sólo deseó estar lejos, volando en una cabina altimatizada y comiendo comida preparada en serie; quería borrar sus sensaciones: no mirar, no escuchar. Pero le llegó la voz de Rita, confesándole algo con los ojos bajos, como si hubiese sido pillada metiendo los dedos en la crema de la torta:

—¿Te acuerdas —le decía— que anoche no quise hacerlo contigo en el dormitorio? Quería, pero no podía, porque la noche anterior, alguien, un muchacho que trabaja con nosotros, recibió una comisión rara que consistía en dejarme millares de folletos aquí mismo. Lo que uno siempre teme en esos casos, es la infiltración. No sabía qué hacer. Decidí llamar a alguien "seguro" desde un teléfono público y preguntar si todo estaba en orden. Felizmente, no había problema con los folletos: yo tenía que guardarlos durante un tiempo. Pero esto era una señal más entre otras de que ellos me estaban probando para nuevas tareas, un poco más arriesgadas, estudiando mi capacidad de reacción, mis recursos en casos de dificultad. El lío es que yo no sabía dónde ponerlos; este departamento es tan pequeño, así es que los dejé donde me los dejaron. Mi dormitorio quedó así "clausurado" hasta que pude trasladarlos a otro lado, donde ni tú ni nadie pudiese verlos. Cuando anoche entramos aquí, nos faltaba mucho para conocernos, tú mismo lo dijiste... Pero aquí tienes uno.

Le extendió un folleto mal impreso pero estridente: un palestino con una metralleta que disparaba las letras del título; su violencia le recordó las revistas pornográficas. Sólo la carátula estaba escrita en caracteres arábigos (él admiró la gracia de las volutas y los caprichosos anillos negros, como restos de una cadenilla rota), pero el texto mismo estaba en inglés. Le bastó leer dos o tres líneas: ese lenguaje ácido, sin titubeos y lanzado como un balde agua fría sobre el lector, le infundía un genuino pesar. Ahora estaba por todas partes y la publicidad comercial empezaba a utilizarlo: "Si usted no compra este auto de inmediato, será completamente culpa suya." El folleto se dirigía a un conjunto de sentenciados en ausencia.

—Gracias —dijo él, devolviéndoselo a Rita, que lo tomó rápidamente y lo guardó en un cartapacio negro—. Ya lo he leído en todos los idiomas y con diferentes repartos. Pero sigamos con lo de tu viaje a Beirut.

—La Orga ha calculado que los israelís volverán a Beirut en cualquier momento, con cualquier pretexto, este año o a comienzos del próximo. Si una invasión se produce, lo más probable es que los guerrilleros puedan resistirlos por un mes, quizá un poco menos. Si no contamos con jets, estamos irremediablemente perdidos; el ataque aéreo va a ser masivo. Antes de que eso ocurra, ellos están tratando de sacar al personal militar más selecto y redistribuirlo en otros países, si encuentran alguno que los acepte, estando los países árabes más divididos que nunca. Ante esta inminencia, ellos quieren que yo vea y experimente cómo es la vida diaria de esa gente y, si deseo (ya me lo han dicho), me una a ellos o vuelva aquí y siga trabajando como antes pero mejor informada. Yo sé que no corro riesgo personal inmediato (ellos no me mandarían si existiese, ellos quieren que yo tome la decisión), pero de todos modos siento un poco de miedo, de desconcierto más bien, y me da vergüenza admitirlo. Estos días no han sido fáciles para mí. Ni los más adecuados para meterme en la cama contigo. Ya ves: será difícil que volvamos a hacerlo, que volvamos a encontrarnos. Partiré en cualquier momento, y después ya no sé.

—Malditos judíos —dijo él, abrazándose a la almohada: parecía un chico rabioso y difícil de complacer—. Malditos árabes. Malditos fanáticos. Maldita guerra de mierda.

No había levantado la voz: estaba reflexionando a solas. Rita no era más real que sus dibujos, aclarándose en el amanecer que entraba por la ventana junto con un ruido de camiones y timbres de teléfonos que nadie contestaba todavía. Le extrañó sentir la voz otra vez cerca, a la altura de sus rodillas. Ella estaba besándole tiernamente las piernas; cuando trató de meter sus manos entre ellas, él la rechazó sin violencia, como apartándola de un peligro.

—Hay algo más que, quieras o no hacerlo, tengo que pedirte —dijo Rita y él pensó que la cabeza iba a partírsele: ya no aguantaba más palabras sobre el tema, cada una de ellas confundiéndolo, poniéndolo en dificultades, obligándolo a protegerse como de alambres de púas contra su pecho. La voz siguió implacable—. Es el favor más grande que he pedido a nadie, el primero y el último que te pediré a ti.

—¿Por qué a mí? ¿Por que no a alguien de la Orga?

—Porque ahora eres la persona en que más confío en el mundo. Porque me quieres. Porque te he elegido. Porque siento por ti una gran *cariñosidad.*

Sintió las manos de Rita jugando entre sus piernas y percibió el aguijón del deseo, como un perfume remoto que volvía. Esta vez la dejó hacer. Dejó también que dijese *cariñosidad* sin corregirla. Pensó (y le pareció que se había sonreído involuntariamente) que esa palabra merecía existir, al menos entre ellos: era exactísima. Rita ya había sacado un pequeño sobre del cartapacio negro y, mientras lo ponía en sus manos, le dijo:

—Todo lo que tienes que hacer es dárselo al hombre que recibirá tu pase de tránsito en el aeropuerto donde vas a hacer transbordo. El estará esperando; no te dirá nada, no le digas nada tú tampoco.

—¿Cómo sabes que voy a hacer transbordo? No te lo he dicho.

—Querido, el único avión que sale hoy para donde tú vas hace transbordo, uno solo. Yo sé cómo averiguar estas cosas.

El pensó que, desde que comenzaron a discutir el asunto, Rita no le había dicho "querido". En medio de las frases que acaba de pronunciar, la palabra brillaba como un talismán. La voz se había suavizado también; no trataba de convencerlo: le otorgaba una especie de distinción por su buena conducta. Del fondo de esa tormentosa conversación surgía una especie de lealtad que ella quería destacar y aprovechar para mantenerse cerca de él, sabiendo que eso era imposible. ¿O le parecía? ¿O sencillamente lo estaba usando como correo de sus fines, sin importarle más? ¿No operaban así los fanáticos, los suicidas, los locos? Se apoyó en un brazo y, de algún modo, supo que había llegado a un límite.

Tuvo un vértigo horrible, de pesadilla; no sólo la cabeza le dio vueltas, sino que todo el cuerpo giró, como si lo hubiesen empalado y hecho dar vueltas sobre un eje que iba de la ingle a la tapa de los sesos, mientras el mundo se movía en sentido contrario y se despedazaba y luego cada pedazo giraba por su cuenta arrastrándolo simultáneamente en cada una de sus direcciones. Ella lo sostuvo, pero sin darse cuenta exacta de lo que pasaba. El infierno duró un tiempo de angustia y luego se esfumó. Todavía masticaba cartón o yeso cuando oyó la simple pregunta de Rita:

—¿Sí?

—¿Estás segura de que el sobre no contiene una bomba plástica? ¿O algún ácido que es activado por el aliento de judíos circuncisos?

Casi no escuchó su propia broma. Pero sí escuchó el lamento del bandoneón, aumentando el tristísimo comentario de un violín, en el disco de Piazolla, y por encima de todo eso la risa de Rita, acariciándolo ya como antes, sabiendo que con esa broma él había aceptado en serio, que el sobre iba a llegar a su destinatario. Se extrañó de haber podido decir eso, sintiéndose como se sentía, pero los efectos fueron mágicos: Rita era otra vez Rita y estaba sacudida de risas, hipos, gemidos suaves y por una ternura de camarada. El se apoderó de su cintura y ella se arqueó en un nuevo estremecimiento, pero volvió a colocar su cara entre las piernas de él.

—Querido —le rogó—, déjame hacértelo ahora. Ya no hay tiempo para más. No quiero que pierdas tu avión.

El se quedó quieto mientras Rita se instalaba cómoda entre sus piernas y empezaba a ritmar los gozosos movimientos de su lengua y su boca. El pelo de ella se derramó sobre el vientre de él, como un lago oscuro al borde de un acantilado. La urgencia de él era menor que la de ella, pero eso no importó; más que lo que ella le hacía, lo que lo arrastraba con una fuerza furiosa era saber que estaban otra vez unidos y otra vez en silencio, la boca de ella devotamente atareada en su tallo, él literalmente preso de ella, sin ningún control de sí, sin más voluntad que para mover sus manos

164

entre la maleza del pelo de Rita, ahogada allá abajo, usando un mudo lenguaje de pura desesperación, limitado pero paciente y eléctrico a la vez. Después de que la cabeza triangular de la serpiente que ella estrechaba entre sus dientes se sacudió y los inundó en una marejada de aguas espesas que ella sorbió con infinito cuidado, él descansó a su lado lamiéndole los pechos con la tibia satisfacción de quien vuelve a encontrar la teta de la madre. Se puso a pensar, con cierta melancolía, que la sexualidad masculina era casi cómicamente primitiva comparada con la de una mujer: los hombres arrojaban su flecha líquida casi sin poder evitarlo, como por atávico mandato de la tribu impreso en ellos para mantener la colectividad; las mujeres, en cambio, parecían tener una riqueza inagotable, cíclica, invisible, siempre afinando y cambiando las claves secretas guardadas en ese párpado rosado que se abría y cerraba sin entregarlas jamás del todo. Pensó también: "Toda esta discusión se ha debido, más que nada, a mi interés por ella. Mi repulsión por la Orga es inversa a mi atracción por Rita. En realidad, sólo hemos pretendido hablar de política."

—Vístete, querido —dijo Rita, moviéndole los hombros—, yo te ayudo con la maleta. Tenemos justo el tiempo para llegar al aeropuerto. Te llevo en el auto.

Lo primero que él hizo fue buscar su saco para guardar el sobre. Fue al baño, se lavó mal y a la carrera, y luego empezó a vestirse. Olió el aroma del café que venía desde la cocina; Rita salió con una taza y se la ofreció. El tomó un par de sorbos, casi quemándose. Cuando se ponía la corbata, descubrió cosas suyas sueltas por todas partes, incluyendo el paquete de libros que le dieron al salir del hotel. Encontró su reloj y se lo puso, pero el resto se lo tiró a Rita que a su vez lo tiró en la maleta. Echaron un último vistazo y encontraron la libreta telefónica de él debajo de una servilleta. Dejar algo suyo allí era como delatarla. Su mente empezaba a operar como si hubiese cometido un delito y tuviese que ocultar las pruebas. Al momento de cerrar la puerta, él agitó la mano en despedida y dijo a la pieza vacía "*Bye-bye, room,*" parodiando una comedia americana cuyo título ahora no recordaba. Estaba otra vez de buen humor.

Cuando se sentaron en el auto observó que Rita estaba sólo cubierta con la bata negra, que en realidad parecía más bien una especie de impermeable ligero; cuando frenaba, él veía la lividez de talco del muslo escapándose por la abertura. Hicieron el viaje casi en silencio. El debió haberse adormecido unos segundos mientras rodaban por avenidas grises y atareadas, que echaban al aire un lento humo venenoso. El sol asomaba perezosamente en un cielo dividido por barras de hierro y cintas de vapor espeso que filtraban una luz deslavada y mezquina. Rita manejaba con rapidez, apurando a media voz a los pilotos más lentos. El aeropuerto apareció a la derecha. Tomaron una amplísima curva y entraron a una rampa elevada. El indicó la insignia celeste de su línea aérea —un pájaro abstracto volando sobre dos lanzas que apuntaban al cielo— y ella detuvo el auto con un chirrido.

—Bueno —dijo Rita—, no voy a llorar mucho, sólo un poquito ahora. Deséame suerte. Si puedo, te mandaré una postal anónima desde Beirut.

—Te deseo suerte. Espero la tarjeta.

Se besaron. La lengua de ella pasó velozmente entre sus dientes, buscó su lengua, se hundió más al fondo, luchó allí un rato. El empezó a sentir la salada humedad del llanto de Rita en sus propias mejillas. Se limpiaron simultáneamente y el movimiento los hizo sonreír. Notó los labios hinchados de ella, brillantes y enrojecidos como si la hubiese picado una avispa.

—Vamos —dijo Rita, dándole otro falso puñetazo en la nariz—, no voy a mirarte partir.

—Adiós —dijo él y le besó la mano que ella tenía sobre la palanca de cambios.

Tampoco él se volvió a mirar, aunque escuchó al auto partir como ofendido. Consultó la hora en un gran reloj negro, echó un vistazo a su boleto y pensó que era mejor correr. Entregó su equipaje a un empleado que atendía a la entrada. Cuando pasó por el arco de control electrónico, sintió el alivio del novato que por primera vez logra burlar a la policía. ¿Estaba corriendo algún peligro? ¿Qué habría realmente en el sobre? Tal vez estaba vacío. La Orga, posiblemente, estaba probando a Rita, y ahora ella lo estaba probando a él. Tal vez... "Beirut", se dijo y recordó las delicadas caras de cabra y los ojos de aceituna de los niños libaneses que había visto en los diarios. Su puerta de salida estaba todavía lejos y reemprendió su carrera, a través de una galería que parecía un tubo bañado por una luz fría, de acuario. Palpó el sobre en el bolsillo interior de su saco, pero no le bastó. Con atención por los detalles, con *cariñosidad,* cerró el botón del bolsillo para asegurarse de que el mensaje iba a llegar sin tropiezos a su destino.

La puerta falsa

La puerta falsa

Para José Emilio Pacheco

Se llama Rosendo pero todo el mundo lo llama Ross, para abreviar o simplificar. Es mexicano, pero no lo parece porque tiene el pelo de un rubio ceniciento y la cara tirando a colorada. Es bastante joven todavía y luce fuerte, pero ya tiene la barriga de tonel; los pantalones sostenidos por debajo de la cintura, acentúan esa hinchazón que él acaricia mecánicamente con una mezcla de resignación e incomodidad. En el aserradero donde trabaja, sus compañeros lo quieren porque es sobre todo un buen tipo, servicial, sencillo, leal. La cara es plácida, a pesar de la fiereza que quieren darle los bigotazos castaños caídos hacia abajo, como si se le chorreasen por las comisuras de la boca. Huele un poco a cerveza y a tabaco, aunque no me parece que tome ni fume mucho; es un hombre moderado, de gestos lentos y confiados, que trata de vivir sin sobresaltos y parece que lo logra. Por su trabajo, tiene las manos callosas, con las uñas siempre astilladas y manchadas con el barniz del aserradero, cuyo olor a veces se confunde con el de la cerveza. Trabaja duro; sus jefes le tienen confianza y creen que, en un par de años, puede ascender a jefe de patio. El contempla esa perspectiva con serenidad, como defendiéndose por anticipado si no llega a ser realidad.

Yo me enteré de todo esto, y de algo más, por puro azar: el aserradero de Ross queda cerca de casa y yo andaba en busca de una puerta falsa para reemplazar la que María y yo tenemos en casa, que ya estaba vieja y descascarada por el sol. Comprar la puerta fue fácil; lo que no resultaba fácil era instalarla porque yo no tenía ni las herramientas adecuadas ni el tiempo necesario (ni el ánimo, francamente) para hacer las muescas donde debían entrar las bisagras, abrir los huecos para la doble cerradura, nivelarla, etc. Y luego había que pintarla y yo buscando colores de pintura soy un desastre. Por eso, cuando compré la puerta, se me ocurrió decirle a Ross, que había sido amable conmigo en el aserradero, si conocía a alguien que pudiese instalarla a precio módico. El se ofreció a sí mismo, me pidió una suma razonable, y así es como entró a casa y llegué a conocerlo mejor, y conocer mejor también a María.

Primero hubo problemas con las bisagras, porque conseguir las del tipo que yo quería (las que se llaman "de seguridad") era muy difícil, y Ross fue y volvió de muchos lugares y demoró en dar con el tipo adecuado. Los días pasaban y la nueva puerta seguía bajo el cobertizo del patio, protegida por un plástico. Ross me había dicho que era cosa de un par de días —uno para ponerla en su sitio y echarle una mano de base, otro para pintarla—, pero la cosa se fue alargando y hubo mil postergaciones que no cesaron cuando Ross encontró al fin las benditas bisagras. Porque luego la cerradura tendía a ajustarse excesivamente (pese a que los huecos estaban justo en el mismo sitio que antes) y hubo también que cambiarla, lo que nos complicó un poco la rutina doméstica porque ahora teníamos que usar un juego de llaves distintas para la puerta principal y para la puerta falsa; de noche era engorroso manejar llaves que lucían idénticas. Y a los pocos días de que todo parecía funcionar bien, la puerta se "asentó" sobre el umbral y perdió un poco su verticalidad (no sé cuál fue el efecto y cuál la causa, y Ross nunca llegó a decírmelo), de tal modo que acabamos por hacer algo que todavía no habíamos pensado hacer: reemplazar el umbral de madera de la puerta por uno metálico, más duradero y que se adaptaba mejor a las peculiaridades de la nueva puerta. Todo esto llevó tiempo, produjo muchas llamadas, muchas visitas de Ross y muchas discusiones con él, y más esperas, demoras, cambios, soluciones. Yo me daba cuenta de que él había hecho las cosas del mejor modo posible, pero que era como si lo persiguiese la mala suerte o simplemente lo impredecible. Fue así como Ross se hizo más que un simple operario en casa: se convirtió en una persona concreta, con defectos y rasgos positivos muy definidos, sobre los cuales hablábamos con María, frecuentemente cuando estábamos más descontentos con sus servicios. María decía que esto me pasaba por haber buscado una solución barata, en vez de pagar a un verdadero técnico en la materia; a veces, yo andaba tan fastidiado que le daba la razón a ella y prometía decirle a Ross que ya no lo necesitábamos, que dejase las cosas como estaban; luego yo encontraría una solución definitiva con alguien realmente enterado, aunque eso significase gastar más dinero del que pensé ahorrar. Pero María me convencía siempre de que era mejor seguir con él, ya que con él habíamos comenzado, y más económico además, porque Ross no nos estaba cobrando por todas las horas extra que había trabajado desde el primer día en que instaló la puerta. Fue así que una tarde lo encontré en la cocina comiendo un sandwich preparado por María y tomando una cerveza (le gustaba hacerlo de la misma lata, aunque ella le había puesto un vaso). El sandwich era inmenso pero él lo devoró en dos o tres mordiscones, mientras se reía de un chiste que le había contado a María, algo que tenía que ver con sus cuatro hijos y un parque cercano a su casa. María siempre ha sido muy atenta y considerada con la gente humilde, y es capaz de conversar con ellos del modo más natural y aceptar de modo condescendiente opiniones y hasta palabras que, en otras ocasiones, rechazaría. Debo reconocer que Ross tenía cierto humor, un humor muy curioso porque era algo que estaba a medias entre lo tosco y lo cándido, como esos chistes de colegio o de los payasos de circo, pero era eficaz y me hacía reír a mí mismo. Yo no sé contar un chiste, ni me acuerdo de ninguno (tampoco de los de él), pero sí recuerdo que era bastante divertido escuchar a Ross contándolos, celebrándolos de antemano, haciendo pausas punteadas por la risa que le provocaba la anticipación de su propia historia y que le sacudía la barriga con movimientos espasmódicos. En fin, lo que quiero decir es que nos hicimos bastante amigos de él, especialmente María, tanto que cuando ella lo trataba de "usted," yo sentía que había allí algo artificial o indebido.

Como siempre ocurre, los maridos (especialmente aquéllos como yo, que no somos mejor que el promedio, que no sabemos bailar y que no sabemos contar chistes) tardan en darse cuenta de estas cosas, así es que sólo me enteré de que María había sido amante de Ross, mientras estaba instalando y componiendo la puerta falsa, porque ella misma me lo dijo cierto tiempo después, un día en que estaba irritada conmigo por no sé qué impertinencia social que cometí una noche que invitamos a unos amigos. Mientras limpiábamos un poco la casa, empezamos a discutir y la discusión creció tanto que María, como suele hacer, cambió violentamente de tema, no para acusarme de nada, sino para decirme esto, como si fuese algo de lo que ella estuviese orgullosa y segura de que iba a producirle una sensación de triunfo sobre mí que podía transferir a la discusión.

En efecto, yo no iba a hacer nada después de esta revelación porque siempre le había dicho que ese tipo de cosas no sólo podían ocurrir en un matrimonio, sino que de hecho ocurren sin que podamos evitarlo y que son como los accidentes de tránsito, cosas que uno no prevé pero que pasan y que no deben impedirnos seguir manejando, si en el fondo somos verdaderamente responsables. Que su cuerpo cediese, que tuviese deseos de otro hombre, me parecía normal, sobre todo siendo María una mujer tan atractiva, definida en sus gustos, muy afectuosa y sociable. Ella, en cambio, había sido de las que pensaban que no podía haber affaire del cuerpo que no fuese también affaire del corazón y que eso era lo imperdonable, especialmente en un hombre, que no puede ignorar cómo sufre una mujer cuando su marido hace eso. Yo le decía que ambos sufren igual, pero ella insistía en que la mujer sufría más; nunca pensó en sí misma sino como víctima, no como protagonista de hechos como ésos. Creo que por espíritu de contradicción yo llegué finalmente a pensar que nadie sufría nunca por eso, que todo era una comedia para poder recriminarse o guardarse rencor con mayor justificación. Uno olvida todo, pero suele fingir que no.

Me pregunto qué pensará de ella misma ahora que le ocurrió con Ross. ¿Pensará que sufro, que disimulo, que me aguanto, que la quiero mucho y que por eso no la dejo, que estoy tramando una venganza? Supongo que, como no está segura de mi actitud, vive un poquito intrigada. A veces, cuando tengo tiempo para pensar en estas cosas, yo también me descubro haciéndole preguntas oblicuas, genéricas, para saber por qué interrumpió esa relación de la que parecía estar tan contenta. No veo ninguna razón objetiva que lo explique, salvo que, con su confesión, el placer se haya diluido para ella. Pero que yo lo sepa o no, ¿qué diferencia real puede significar para María o para los dos, si es que todavía son dos y se siguen viendo sin que yo me entere? Que esa relación continúe no me preocupa, por la razón que ya dije antes; lo que sí me interesa, lo que siempre quisiera saber (y ella nunca me lo dice) es qué vio María en este hombre apacible y campechano, tan distinto de nuestros amigos, de los amigos que tuvo antes de casarse conmigo, de la gente que ella siempre ha admirado o querido. Tal vez, me digo, pese a su aspecto rústico, a esa barriga ideal para una caricatura y al olor a cerveza y a las uñas manchadas de barniz, Ross sea un ejemplar raro y apetecible: un hombre bueno, un buen compañero, un amigo sincero que, como no pretende mucho, consigue lo que quiere. Alguien a quien se le pueden contar cosas y que comprende. Pero confieso que me daba un poco de risa, más que celos, imaginar el cuerpo de María —angular y delgado, la carne escueta de bailarina, el pubis duro y negrísimo como una mancha de tinta—, presionado por la barriga globular de Ross. ¿Sería eso algo capaz de despertar su sensualidad, su ternura tal vez? ¿Le daba también a ella un poco de risa? ¿Tendrían dificultades en acoplarse?

Ya sé que esto va a sonar ridículo, pero hay noches en que, sintiendo cómo crece entre María y yo un círculo de tensión y de reproches mascullados, quisiera ver el rostro simpático de Ross detrás de la ventanilla de la puerta falsa —que fue lo único que supo colocar bien—, echando un vistazo al interior de la casa, como buscando algo, y aprender de él, como aprendió María, lo que es tener un verdadero amigo, sin importarnos mucho lo que le parezca a otros.

Una de suspenso

Una de suspenso

Esta debe ser la sexta vez que Janet va a ver la misma vieja película de su director favorito. Al principio la veía entera, sintiendo el placer de reconocerla cada vez más fácilmente, recordando incluso líneas completas del diálogo. Pero últimamente se ha dado cuenta de que la película ya no le interesa mucho, sino sólo esa escena magistral de la ducha. Ahora va sólo para quedarse hasta esa escena, que justifica la entrada que paga en los cine-clubes o aulas universitarias donde no pasa año en que no la exhiban con algún pretexto; apenas la escena termina, se marcha satisfecha. Pese al fanatismo que ha ido desarrollando por esa secuencia, reconoce que todo lo que ocurre hasta allí está bien tramado, que avanza con una precisión de relojería que no sólo está en función de esa escena. Pero todo lo que sigue luego la va dejando afuera cada vez más. Todavía tolera y hasta le gusta, una secuencia posterior: el asesinato del investigador en la escalera, con la figura de ave de rapiña precipitándose sobre su víctima, el salpicón de sangre sobre la frente y el horror en sus ojos, la cámara como empujándolo en un movimiento imposible (el truco se nota un poco) escaleras abajo mientras la música sigue asestándole puñaladas o graznidos; pero el resto le parece un abaratamiento indisimulable de la primera parte de la película, un desperdicio de su propia historia. Y el final, con el discurso del psiquiatra poniendo todo en un nivel de psicopatología para uso doméstico, con términos médicos que producen una fácil admiración, francamente es una tontería, una conclusión seudogótica para explicar no sólo la cara y los tics paranoides de Norman Bates, el solitario empleado del motel, tan convincente cuando nadie sabe la verdad, sino también el travestismo, la calavera disecada y el sótano. Ver cómo todas estas cosas se aclaran en un crucigrama cuyas claves son mentes enfermas y traumas infantiles, la tiene sin cuidado y hasta cree que, retrospectivamente, le impiden gozar de la escena magistral.

Así es que mientras la película se va deslizando hacia ese momento, hacia el espanto puro de ese momento, ella siente que se diluye en el gozo de la anticipación y el recuerdo, ayudándose uno a otro en una exaltación que el ojo percibe y la imaginación registra con una perfección que le resulta inalcanzable (ella cree) en ninguna otra película. El momento se acerca y ya nada la distrae ni siente nada que no esté en la pantalla, proyectado por ese túnel de luz que flota sobre su cabeza, zumbando ligeramente. En el ecran ve a Marion Crane (el nombre que ella ha dado en el motel es otro y Norman se ha dado cuenta), la chica del rizado pelo rubio; la ve envolver en un periódico los cuarenta mil dólares que se ha robado de su oficina y dejarlos sobre la mesa de noche, luego se quita la bata (la cámara, púdicamente, eleva el plano y la enfoca de los hombros para arriba) y entra al baño. Corre la cortina, abre la llave y el agua sale por la regadera de la ducha. Toda la crueldad de la escena ya está allí: una chica en problemas, desnuda, totalmente vulnerable, incapaz de advertir el inminente peligro que la rodea. La ve todavía bañándose como si nada estuviese pasando, su silueta revelándose tras la cortina de plástico, los brazos refregando el cuerpo con fuerza, haciendo oscilar la cabeza para recibir los finos chorros en la espalda. Pero eso ya no importa mucho, sino lo que está al otro lado de la cortina. Una sombra penetra en el viejo cuarto de baño, espía tras la cortina esperando el momento propicio; luego la mano o la garra (no se sabe ahora si la figura es humana o un pájaro gigantesco o un monstruo) corre la cortina violentamente, y entonces Marion se vuelve y lanza un grito que es como la primera puñalada (la música aúlla como alguien que sueña que rueda por un precipicio y no termina de caer), porque ya no tiene salida, porque la mano o la garra se levanta una y otra vez (la cámara reitera ese movimiento enloquecido, como de punzadas) y muestra por una fracción de segundo un enorme cuchillo, luego la cara de ella con la rúbrica de sangre, el vientre recorrido por una herida finísima que empieza a abrirse, las manos tratando de protegerse, la sangre mezclándose con el agua, el cuchillo en lo alto brillando ferozmente, la regadera vista desde arriba, el agua y la sangre corriendo por el desagüe agrandado como el centro de un remolino, el cuerpo de Marion rodando contra la pared de mayólica y dejando rastros oscuros por todas partes, hasta que, por fin, su mano crispada se aferra a la cortina y la tira hacia abajo haciendo saltar los ganchos uno a uno con su caída.

De pronto, Janet siente que el ambiente pesado de la sala la asfixia. Sólo le falta ver el anticlímax de la escena —ese pacífico y terso momento en que el desagüe de la tina se convierte en el ojo vidrioso de la chica, volcada en el suelo, el agua todavía prendida de las pestañas—, pero siente como un mareo y trata de salir del lugar. Ni siquiera puede levantarse de su asiento, derribada por el peso de una tonelada de piedras. Aliviada, se da cuenta de que está soñando, de que está soñando la película, de que todo es irreal. Intenta salir del sueño. Mueve la cabeza a uno y otro lado de la almohada, pero el cuerpo la arrastra siempre hacia abajo, hacia lo más oscuro. No puede despertar. Como último recurso, intenta salir de la ducha. La escena cambia, el ojo helado aparece, la película continúa proyectándose normalmente, nadie se mueve de su sitio. Pero ella no vuelve a aparecer.

El enemigo

El enemigo

Para Octavio Paz

Apenas viró a la izquierda y su auto enfrentó la pequeña calle por la cual él siempre volvía a casa, para evitar el tráfico de la avenida principal, se dio cuenta de su error: una cuadrilla de hombres estaba reparando la pista y hacían desfilar lentamente los autos sobre un estrecho sendero cubierto por planchas de metal; pronto habría un gran embotellamiento. Había tenido un día bastante pesado, que se alargó en discusiones que no llevaron a ningún lado. Estaba harto y tenía buenas ganas de mandar a rodar todo, incluyendo el Consejo y sus pequeños comités. Y ahora, por esta estúpida reparación hecha a la peor hora, iba a perder preciosos minutos en su camino a casa, donde esperaba una llamada de larga distancia; todo en esta ciudad se hacía mal o a rastras, todo se asfixiaba tras el primer impulso. Mientras esperaba con el auto detenido, miró de reojo el periódico doblado sobre el asiento y leyó parte del gran titular, la gran mentira del día: "AUSTERIDAD PIDE EL ALTO MANDO DE". La fila de autos avanzó un poco y él hizo lo mismo; al llegar a la intersección inmediata a la zona en reparación, tuvo el cuidado

185

de no bloquearla para no aumentar la confusión. De pronto, advirtió el peligro: la camioneta verde a su derecha no había visto su maniobra y se dirigía hacia él, como tratando de pasarlo por detrás, donde no había espacio, a demasiada velocidad. Intentó tocar la bocina y tal vez llegó a hacerlo, pero no la oyó porque en ese momento el impacto se produjo y hubo un gran ruido de vidrios. Fastidiado, irritado por el accidente, movió la manija de la puerta para salir y ver el daño, pero no pudo. Creyó primero que el impacto en el otro lado la había desnivelado, pero luego vio, sin poder entender del todo dónde estaba pasando esto y qué relación tenía con él, la mano de un hombre empuñando una pistola, y las caras de otros dos o tres también cubiertos por pasamontañas que acababan de saltar de un auto surgido de la nada, en sentido contrario, hasta pararse violentamente justo al lado izquierdo del suyo; estaba perfectamente encerrado en plena calle. Pensó: "Un asalto", y apenas tuvo tiempo de pensar en el dinero que traía consigo y en sus documentos personales, porque después algo duro y pesado le cayó en el pómulo o tal vez en la nuca (el impacto produjo una rápida reverberación por todo el cráneo) y sintió, al mismo tiempo, una sordera o un zumbido que le hacía arder los ojos, un empujón, gritos que él no podía obedecer porque ya no veía bien, quizá debido a que estaba en el suelo o porque algo había sido puesto sobre su cabeza y había como un olor a pólvora, pero él no había oído los balazos. Notó que alguien le amarraba las manos por detrás y que el auto (tenía que estar en un auto, no sabía si el suyo) se lanzaba en una carrera dando vueltas y más vueltas, bamboleando su cabeza y echándolo sobre otros cuerpos calientes de los que emanaban obscenidades y órdenes, hasta que no vio más que una manchita roja ante sus ojos que se apagó como un latido y lo sumió en una especie de sopor helado y ardiente a la vez. Después, flotó como si lo hubiesen liberado de su propio cuerpo, aunque sentía un dolor en alguna parte quizá en el pasado.

Uno...dos...tres...cuatro... El goteo fue lo primero que logró percibir, repercutiendo en su cabeza, adormecida por el ritmo de la cuenta: ...diez...once...doce...trece... Automáticamente asoció el goteo con la humedad que pegoteaba la parte posterior de su cráneo, y se contentó por un buen rato con esta idea: un caño de agua abierto, cayendo lentamente sobre su cabeza:...veinte...veintiuno...veintidós...veintitrés... Luego pensó que había algo raro: el agua no rodaba hacia abajo, hacia el cuello. Se movió un poco —aún no sabía si estaba sentado o echado, boca arriba o boca abajo— y descubrió su error: el goteo venía de algún lugar a la derecha de donde él se encontraba; pero el movimiento produjo un vivo dolor en su pierna —alcanzó a distinguir, allá abajo, que era su izquierda— y así supo que estaba despierto, no soñando, no muerto, sólo amodorrado por su propio conteo:... treinta y nueve... cuarenta... cuarenta y uno... cuarenta y dos... ¿O estaba muriéndose? "Qué tonto soy, pensó, por qué no me toco la cabeza para saber qué humedad es ésa". Movió una mano y no llegó a rozarse siquiera el pelo porque tuvo una sensación de miedo, de no querer comprobarlo. Trató otra vez, humillado por su propia cobardía, pero tampoco pudo; tardó un instante más en darse cuenta de que su mano no se había movido en absoluto, que era su cuerpo el que había imaginado el movimiento y el miedo para explicarse algo que no entendía: que tenía las manos esposadas a su espalda, caídas a un costado como un peso muerto, los dedos palpando sin su conocimiento lo que podría ser una estera o una alfombra tejida. El dolor de la pierna, en sí mismo tolerable, había reavivado otros dolores enmascarados por la inmovilidad y ahora tenía clavadas por todas partes unas agujitas o quizá unos guijarros puntiagudos que producían chispas de dolor, espasmos diminutos que nublaban sus ojos con un fulgor de estrellas. Su mente vaciló un segundo; le pareció que se había hundido en o caído de una silla y dejó de oír las gotas, porque se fundieron con las estrellas que desfilaban perfectamente alineadas ante sus ojos, como si fuesen el diseño de un empapelado.

Notó entonces, con alegría, que estaba viendo eso con los

ojos cerrados y que si hacía un pequeño esfuerzo podría abrirlos. Pero los ojos abiertos se movieron frustrados en un espacio vacío, negro: los tenía fuertemente vendados y eso aumentaba la idea de presión que tenía en la cabeza. De pronto, como compensando su ceguera, el último trozo del pasado anterior a esta oscuridad presente, se hizo más nítido que cuando ocurrió. Se vio a sí mismo, claramente, como si lo hubiesen filmado sin él saberlo, siendo extraído de su auto, empujado al auto a su izquierda, el primer hombre todo el tiempo gritando y sosteniendo una pistola de caño corto sobre su sien (él percibió recién ahora el frío metálico del arma), cayendo pesadamente (¿había querido escapar?) contra una de las cuatro puertas abiertas del vehículo de los hombres, de inmediato rodeado por ellos, por las piernas de ellos que se alzaron y lo golpearon o lo hicieron rodar en la parte baja del asiento posterior. Luego ya no vio más porque cayó sobre él la capucha con olor a vómito, o tal vez vio fuera de toda realidad y toda lógica, como si se interpretase a sí mismo y contemplase su actuación tiempo después, lo que fue esa loca carrera en el vehículo donde los hombres gritaban frenéticos y escuchaba risas que parecían disparos o viceversa, y tenía la impresión de no estar avanzando con ellos sino bajando y entrando y saliendo de túneles, a la salida de los cuales lo esperaba otro auto y otro más todavía, y luego era el sopor y el auto hediendo a sudor ácido y todo el tiempo la duda de si estaba despierto porque no hallaba una postura humanamente cómoda o si estaba profundamente dormido sobre sus extremidades torcidas e hinchadas como troncos. Le costó vincular esas imágenes fulgurantes del auto y los hombres, tan llenas de ruido y agitación, con la aplastante quietud de ahora, con su oscuridad y el goteo del caño, que volvía a comenzar:... uno... dos... tres... cuatro... Lo único que unía a ambos momentos era él, era él quien había vivido ambos, aunque fuese totalmente incongruente. Pasó un tiempo y en cuanto ese eslabón que faltaba en su cadena de recuerdos terminó de cerrarse, él salió de su pesada bruma y sintió una enorme ansiedad: ¿dónde estaba?

Una mano lo tocó y él no pudo contener una vaga sensación de agradecimiento, como el de un perro ante la cercanía de su amo: no estaba solo.

—¿Quién? —dijo.

—Levántate —le contestaron.

La voz era nasal, llena de flemas.

Notó que le quitaban las esposas. Se tocó las muñecas magulladas, disfrutando cada movimiento de sus dedos libres, pero casi de inmediato sintió que la mano anónima le colocaba otra vez las esposas, pero esta vez con los brazos por delante.

—Siéntate —repitió la voz.

No supo qué hacer porque creyó que ya estaba sentado. La mano lo acomodó rudamente contra una pared y él percibió el goteo ahora del otro lado. Saber que sus sentidos estaban aún tan embotados como para incurrir en esa confusión, saber que su orientación era casi nula, lo sobresaltó. Temía que le hubiesen dado una droga para mantenerlo tranquilo. Pero en eso caso quizá no se explicarían las esposas... Sus dedos palparon la pringosa colchoneta en la que estaba sentado y que parecía rellena con papeles.

Percibió un olor a hervido y luego un ruido metálico. Le pusieron en las manos algo caliente, que apenas podía sostener.

—Cuidado —le dijo la voz resonando tras los velos de mocos—. Vas a comer algo ahora. No vas a necesitar cuchara. Puedes tomar la sopa directamente del plato. Trata de no derramarla, porque no hay más.

Sin ver, sin saber qué iba a comer, con las manos esposadas, era difícil beber ese líquido humeante, que él procuraba verter lentamente entre sus labios, abriendo los dientes un poco para dejar pasar lo que podrían ser pedazos de papas, o frijoles. Un largo fideo quedó colgado de su labio inferior y cuando él trató de lamerlo, sintió que cayó sobre sus piernas. El sabor de la sopa era un poco avinagrado; la tomó sin embargo, más por sed que por hambre. En los labios resecos la grasa fría formó una capa como de cera. Había tragado sin apetito; era imposible aficionarse a la comida sin verla; al comer, pensó, uno saborea los colores que ve. Le pareció que había pensado eso antes, no ahora. Sus pensamientos le jugaban trampas.

—Toma —dijo la voz, y él adelantó sus manos; percibió una forma cuadrada, blanda.

Era un pequeño sandwich. En su mente se formó un fondo de humilde optimismo: por lo menos no iban a matarlo de hambre. Empezó a mascar y notó, entre las rodajas de pan reseco, el sabor salado de una carne o embutido; el primer bocado fue engañosamente agradable, porque luego percibió que la carne estaba rancia. No comió más y al poco tiempo empezó a eructar un sabor aceitoso.

—Come todo lo que te dan. Es mejor así —dijo la voz.

—No quiero más —contestó—. No tengo hambre.

—Bueno, jódete —dijo la voz, soltando el insulto en un tono apenas agresivo, como si estuviesen peleando entre amigos.

Un ruido de pies, como envueltos en trapos o cubiertos por zapatillas, se acercó a él. Hubo un chasquido de dedos y sintió que alguien le quitaba el resto del sandwich, que todavía colgaba de sus manos, y se llevaba el plato; una puerta sonó con un chirrido de bisagras oxidadas. Se alegró de reconocer siquiera un objeto, un detalle concreto del lugar donde estaba. Los pasos se apagaron. Tenía una sensación de adormecimiento general y se le ocurrió mover muy suave y lentamente los hombros y la cabeza para generar un poco más de circulación en sus músculos. Al hacerlo cobró otra vez conciencia de la humedad cerca de la nuca, una humedad que parecía quemar un poco. Como estaba apoyado en la pared, levantó la cara con cuidado hasta lograr que la zona húmeda de la cabeza la rozase; quería saber qué era eso. Apenas presionó ligeramente un costado del cráneo contra la pared sintió un dolor agudísimo, que se le transmitió a las muelas: había algo tumefacto o infectado allí. Retiró la cabeza y el dolor fue ensordeciéndose hasta volver a ser otra vez una especie de humedad. Recordó entonces el golpe con la pistola, en el primer momento del ataque, que había olvidado por completo, tal vez porque lo que realmente le dolía ahora, con un dolor constante y preciso, era la pierna; saber que la humedad era sin duda una herida o un golpe era casi una ventaja: su mente estaba preparada para aceptarlo. Además, él sabía o creía saber, cuándo ocurrió eso. La puerta volvió a abrirse con su chirrido, y percibió nuevamente la presencia de varias personas; sentado como estaba, oía un cuchicheo por encima de él. Las personas se movían, hablaban entre susurros, alguien dejó caer algo. Se sobresaltó con ese pequeño ruido; sintió francamente miedo: ¿iban a pegarle entre todos? ¿Iban a interrogarlo? Esperó, con un sudor frío brotándole bajo la venda que cubría sus ojos; eructó otra vez el vaho grasiento. Uno dijo en voz ligeramente más alta "Para estar seguros" y el grupo se retiró con un confuso ruido de pies. Luego, un silencio total apenas pautado por el goteo del caño.

De pronto, por sobre su noción de total dependencia, sobre su dolor y su entumecimiento, algo en él descubrió que, fueran los que fueran estos hombres y sus intenciones, él se estaba portando como un idiota, haciendo de perfecta víctima. Estaba perdiendo un tiempo precioso, preocupado con sus músculos y la humedad en la cabeza; nada de eso importaba: importaba organizarse, llegar a tener una idea de dónde se encontraba, entender lo que estaba pasando realmente, imaginar modos de salir de esta situación. "Montones de cosas por hacer, pensó, y yo estoy aquí sentado, como aceptando todo." Pero no podía actuar sin un plan. debía establecer primero qué es lo que podía hacer, atado y vendado, para tratar de acortar la inmensa superioridad que sobre él tenían sus captores. Tenía que estar preparado incluso para lo imprevisto; tenía que estudiar alternativas, jugar él también (aunque sonase ridículo) con alguna posibilidad de sorprender una falla en el sistema que lo rodeaba. Se sintió ocupadísimo, ardiendo en deseos de ponerse a trabajar en su propio rescate: no podía contar ni confiar en nadie más por el momento. Reflexionó con un rigor de matemático: sólo podía ganar estar dura partida si la colocaba en un terreno en que él tuviese una posición superior a la de ellos; o tal vez bastaba hacerles *pensar* que esa superioridad existía; o al menos que él creyese en ella.

Enfrentó una primera verdad. Cuando era niño y su madre lo llevaba al dentista, él tenía un método para disimular o aliviar el dolor: si el dentista decía "Hay que curar dos muelas", él se decía a sí mismo que había oído: "Hay que curar *tres* muelas." Cuando el taladro terminaba con la segunda, sentía el placer adicional de haber sido perdonado de una; imaginando peor las cosas, podía enfrentarlas mejor, ser más valiente. Aunque estaba tan entorpecido, tan sometido, que su mente lo tentaba con absurdas coartadas similares, aceptó la opción más seria: no estaba en manos de asaltantes comunes, sino de delincuentes políticos que, si querían, podían matarlo. Aunque había una posibilidad marginal de que fuesen *ambas* cosas —recientemente se habían dado varios casos de alianza entre traficantes profesionales alquilados por revolucionarios convencidos: distinguirlos empezaba a ser difícil—, la dejó también de lado: en todos esos casos, los secuestrados habían sido personas adineradas, y él no lo era. Dejó de sentirse una simple víctima y comenzó a sentirse un prisionero. ¿Por cuánto tiempo? Este pensamiento abrió una compuerta en él, que lo había mantenido confinado en sí mismo como un organismo primitivo y con recuerdos reducidos a lo puramente individual, traducidos a sensaciones imprecisas: recordó vivamente a su familia. Mejor dicho: sintió de un modo brutal que *no* estaba con los suyos, que no había ni teléfono ni cartas ni noticias entre ellos; sintió un silencio cargado de infinitas preguntas mudas.

Pensó primero en Ursula y tuvo un estremecimiento cuando, por un segundo, cruzó por su mente el temor de que también la hubiesen capturado a ella. "Muy improbable", se dijo: con ella en casa tenían un elemento más para generar tensión, alguien más a quien doblegar a la distancia. ¿Cómo se habría enterado ella de su secuestro? ¿A través de la policía? ¿Por una llamada de estos hombres? ¿Habría aparecido ella en televisión, pidiendo algo, haciendo declaraciones? Confiaba ciegamente en Ursula: era fuerte, más fría que él en circunstancias difíciles. Le parecía que nunca la había visto llorar; sólo cuando nació Daniel, su único hijo, ella se dejó arrasar por lágrimas amargas, desgarradoras, y por las oleadas de dolor que la hacían sacudirse como un paciente bajo los efectos del electro-shock. Recordó las manos heladas aferrándose a las suyas, las uñas clavadas hasta hacerlas sangrar, hasta que la inyección (él conservaba todavía la imagen de las orejas metálicas de la aguja hipodérmica prendida con sadismo en la punta inferior de la columna, las piernas abiertas como un venado recién cazado) la dejó caer sobre la cama como un bulto sudoroso y desmadejado. Pero *esto* que le estaba pasando a él podía ser algo distinto para Ursula, la gota que desborda el vaso. Curiosamente, era un peligro que ambos habían tenido que contemplar, pero que ambos habían apartado de sí para poder vivir normalmente —en el grado de normalidad que era posible vivir en estos años, en esta ciudad. Tuvieron una discusión cuando alguien "de arriba" les sugirió la necesidad de pensar en un guardaespaldas, sobre todo ahora que él presidía el Consejo para la Pacificación. Se ponía terriblemente incómodo sólo con la idea de tener que andar con un policía privado; se sentía comprando protección, era como si estuviese en tratos con la maffia. Sólo se puede contar con las personas en las que uno tiene confianza, decía él. ¿Cómo diablos confiar en un guardaespaldas, experto en karate y en el manejo de armas? Para una tarea tan servil, prefería un perro, algo totalmente insobornable, y hasta pensó seriamente en tenerlo, antes de olvidarse del asunto, para consternación de su hijo Daniel, que ya había hasta pensado en un nombre para el animal. Ursula trató de convencerlo durante semanas de que al menos usase una pistola, hasta que se cansó de oír el único argumento de él: si el presidente del Consejo hacía eso, estaba aceptando que la ola de terror lo había alcanzado también a él. Le dijo a Ursula: "Si acepto el encargo es justamente para no tener que vivir protegido por armas." Ahora ella debía estar desolada, pensando que si él le hubiese hecho caso... No habría servido de mucho tampoco, argumentó él en silencio, hablando con ella como si estuviese en esa pieza; si hubiese tenido un arma seguramente su mala puntería le habría hecho disparar a los postes de alumbrado,

y en estos momentos se sentiría más ridículo. El terror era
como una de esas enfermedades que se transmiten por el
aire: todos respiraban el ambiente envenenado un poco cada
día, todos se acostumbraban cada vez más a él y la indignación daba paso a medidas prácticas. Combatir el terror con
cursillos de defensa personal o de tiro al blanco: eso era lo
que la gente hacía para sentirse segura. Los periódicos des-
tacaban el heroico melodrama de la víctima que se resistía
e impedía a balazos su propia captura. Cuando recordó que
él, en cambio, había puesto su fe en algo tan abstracto y
frágil como el Consejo para la Pacificación (detestaba el
nombre, quizá porque señalaba una necesidad concreta),
sintió que la boca se le estiraba en una sonrisa involuntaria:
¿tendrían razón sus enemigos al creerlo un iluso, tal vez
alguien que había revestido con un ropaje moral cierta incapacidad para aceptar la realidad?

Había asumido la comisión sabiendo que era delicada e
improbable, muy improbable. Pero no cabía otra opción,
según él, o no había otra cosa que quisiera hacer frente a las
actuales circunstancias: el abanico de soluciones posibles se
había reducido en menos de dos años de violencia desatada.
Dividido el país entre dos fuerzas políticas irreconciliables,
separadas por toda una historia de violencia y persecucio-
nes, paralizadas ambas por un virtual empate de recursos,
intereses y adherentes, el terror había surgido de ese mismo
vacío, con su promesa de una justicia rápida y un nuevo
orden en el que los dos clásicos grupos, tan corrompidos
como ineficaces, se desvanecían para siempre. Ese mensaje
se extendió del ambiente universitario —ya intoxicado por
una prédica incendiaria pero infinitamente fragmentado en
sectas que respondían a ambiciones, exclusiones y excomu-
niones que eran como asesinatos verbales— a ciertos poderosos sindicatos de la ciudad, donde vino a reemplazar la
certeza de que ése era un campo político devastado para la
acción; y luego a zonas más remotas y a medios sociales
que antes habían parecido impermeables a esa exaltación
de la pasión ciega: se habían dado casos de terroristas de
13 o 14 años, de guapas hijas de ministros sorprendidas con

folletos comprometedores, o de jefes policiales primero secuestrados y luego ganados por la causa de la violencia. Todo esto demostraba, mejor que cualquier declaración o discurso político, que el país había cambiado; nadie estaba preparado para vivir en él y era más fácil morir. Lo irónico era que el régimen tenía todos los atributos de la democracia, sin saber qué hacer con ellos; tampoco lo sabía la gente y eso mantenía al gobierno en el poder: el régimen era fantasmal, pero sus enemigos eran más fantasmales todavía, salvo los terroristas que, con cada golpe y cada asesinato, devolvían a todos el sentido de la realidad —una realidad alucinada y salvaje, donde cualquiera podía ser llamado a responder por actos ajenos con su propia sangre. El Consejo, aunque oficial, era simplemente un organismo temporal concebido por todos aquellos que creían que debía haber *otra* salida en un país con las puertas cerradas, para forzar a los dos grandes partidos a buscar una alianza pre-electoral sobre la base de un programa que excedía en mucho lo que ambos planteaban, pues al mismo tiempo recogía las legítimas demandas que la diminuta izquierda tuviese que hacer a nombre de los que se habían alzado en armas y que sólo hablaban a través de ellas. La idea era robarles a éstos el gran pretexto de la división cainita del espectro político, ya que ninguna de las dos fuerzas quería destruir el sistema, sino mantenerlo alimentándose de él, como plantas parásitas. Sin esa escisión, que era la fea cicatriz que la historia había dejado, el terror quedaría aislado; era obsceno pretender que iba a desaparecer: sólo podían quitársele argumentos. Pero ése no era problema suyo; lo que lo preocupaba era hacer sentar en la misma mesa, sin condiciones previas, a esos hermanos que se odiaban con ferocidad, seguramente porque pretendían la misma herencia, y hacerles aceptar un plan que luego respetasen, trampas más o trampas menos.

Reconoció el ruido de la puerta y de los pasos, que ahora parecían menos numerosos. Alguien le quitaba las esposas; pensó que se las iban a colocar otra vez atrás, pero no lo hicieron. No sólo eso: le estaban quitando la venda, asegu-

195

rada en la parte posterior por esparadrapos (sintió los tirones sobre la tela). La voz con flemas le ordenó: "No te muevas," y él descubrió que había levantado las manos en su afán de liberarse pronto de la venda. Cuando el trapo se desprendió del todo no vio nada, salvo una mancha entre azulada y rojiza que parecía ondulada, como un paisaje de dunas al atardecer. Cerró los ojos, se los frotó, puso la mano delante de sus cejas para protegerse de la cruda luz, de lo que parecía un foco poderoso. El foco se movía muy cerca de su cara; un rato después, casi adivinando, supo que en realidad eran los anteojos de alguien mirándolo atentamente.

—¿Le duele algo? —le preguntaron los anteojos y al mismo tiempo sintió que le tomaban el pulso.

Retiró la mano instintivamente; la cara tras los anteojos era intensamente pálida y tenía unos bigotes en forma de cepillo de dientes.

—Quieto —le dijo—. Cálmese. Soy médico. ¿Tiene algún problema? ¿Le duele algo?

¿Algún problema? El tipo debía estar bromeando, aunque quería actuar del modo más profesional posible. El vaciló entre sacar todas las ventajas de su presencia presentándole un catálogo de quejas, o ser parco y reducirse a lo esencial. Habló:

—Lo que más me preocupa es lo que tengo en la cabeza. Y me duele un poco la pierna.

Y al decirlo vio su propia pierna, apareciendo como un objeto abandonado e inerte bajo el borde destrozado del pantalón. Tuvo un vivo eco de la violencia de su secuestro, y de su eficacia también: aquí estaba él, vivo en sus manos, convertido en una valiosa carta de negociación política. Trató de fijar en su mente cada uno de los rasgos de esa cara de muerto, exangüe y rígida, que tenía frente a él. "Si la policía me pide identificar...," empezó a pensar, pero de inmediato se detuvo; confiar en la policía era una insensatez mayúscula. No habían descubierto a uno solo de los secuestrados anteriores. ¿Por qué iban a encontrarlo a él? Sólo podía confiar en sí mismo. Siguió examinando esa cara, mientras sentía cómo el otro auscultaba la herida de la pierna y le ponía un vendaje encima.

—No es nada —dijo el hombre con convicción—. Se pegó un buen golpe, hay un corte superficial. Déjeme ver la cabeza. Agáchese.

"¿Quién sería este pobre diablo?", pensó él. Sabía que había muchos estudiantes de medicina entre los terroristas, según los recuentos de algunos secuestrados que habían sido canjeados, cuando los canjes eran bien vistos por la opinión pública. Este tipo debía ser quizá uno de ellos, o tal vez un verdadero médico fracasado, un fanático diplomado. ¿Tendría un consultorio lleno de señoras embarazadas?

—Va a arder un poco —dijo el hombre antes de echarle algo en la herida de la cabeza; él sintió el hincón de una sustancia que tenía un olor aromático—. Parece que hay una pequeña infección, pero nada serio. Se pondrá bien. Tome esto.

Le dio una pastilla rosada. El la miró con desconfianza: ¿algún sedante? No quería dormir; quería permanecer activo la mayor cantidad de tiempo. El hombre pareció entender su duda y le dijo:

—Es un antibiótico. Agua, camarada —pidió a alguien, y él vio aparecer por detrás la figura de un hombre joven vestido con un mameluco verde, toscos botines y una lustrosa metralleta en las manos, apuntando ligeramente hacia abajo; había estado todo el tiempo a sus espaldas. No era muy grueso, pero su cara gorda, los labios como salchichas y los dormidos ojos porcinos le daban ese aspecto. Obedeciendo al "médico", el segundo hombre se movió lentamente y empujó una puerta a su izquierda, que permitió ver un viejo baño, del que trajo un vaso de agua. El tomó la pastilla y bebió gustosamente. Sus ojos estaban fascinados con el espectáculo: al fin podía ver *toda* la habitación. Era inverosímilmente pequeña, casi enana, no más grande que un cuarto para niños. La construcción era antigua (el techo alto tenía unas manchas de humedad que habían desprendido la pintura como una lepra) y parecía haber sido modificada muchas veces; nada guardaba relación con nada. Miró la puerta que evidentemente era la entrada, apenas más amplia que la del baño. En la pared frente a él debía haber una ventana, pero la habían cubierto con madera triplay. La única luz venía de una lámpara fluorescente que colgaba, un poco torcida y cagada por las moscas, casi pegada al rincón donde él estaba. Eso le resultó extraño; también que dos de las paredes, justamente aquéllas sobre las que había estado apoyado, pareciesen más delgadas o más recientes que las otras. Anotó todo eso en su memoria, clasificando cada aspecto, cada matiz. En una de esos dos paredes, vio los símbolos con los que el grupo marcaba sus actos y sus mensajes, como un tatuaje colérico: la estrella roja encerrada en un dorado círculo solar, las dos metralletas cruzadas y las siglas entrelazadas formando un monograma. Debajo, aparecían los tres clásicos retratos, los tres líderes que presidían ese panteón secreto pero ya legendario: el eslavo de cabeza pelada en forma de cebolla, el rostro triangular rematado por una barbita corta e insolente; la aplastada cara de torta en la que unos ojillos orientales sonreían con un brillo casi pícaro bajo la gorra de ferroviario; y el coronel musulmán de pelo rizado como en peluquería, las cuadradas mejillas bien rasuradas y el vistoso quepí militar que le daba un aire de portero de nightclub. En ese altar, el arte ingenuo y la religión primitiva se conjugaban al servicio de la política contemporánea.

—Su pulso está bien. ¿No tiene usted problemas con el corazón, verdad? —preguntó el "médico".

—No.

—¿Está tomando alguna medicina?

—No.

—Si necesita algo de mí, hágalo saber. Soy médico, ya le dije. Hágalo a través del camarada Víctor.

Y señaló al otro, que lo miró con cierto orgullo: no cabía duda de que era su carcelero. El se fijó otra vez en su cara gorda dividida por una nariz ancha, de poros abiertos; la piel grasienta de las mejillas estaba cubierta por los rojos cráteres del acné. Era lampiño, pero se había dejado crecer unos pelos ralos para tener la ilusión de una barba. El imaginó que, puestos uno al lado del otro, el "médico" macilento y el guardián con rostro de puerco podían pasar como caricaturas de sus respectivos oficios.

El camarada Víctor volvió a colocarle las esposas, pero no la venda. Se preguntó por qué; seguramente no por un sentimiento de piedad, sino porque necesitaban que él los viese, se familiarizase con ellos; querían convencerlo de algo, quizá adoctrinarlo. El hecho de estar esposado era un indicio interesante: si estuviesen en un lugar aislado, no habrían temido que él intentase fugarse, pues debería ser fácil detenerlo o hallarlo; debían estar en plena ciudad, rodeados de gente que ignoraba por completo lo que pasaba entre estas cuatro paredes. Intentó escuchar un momento los ruidos alrededor: nada, salvo el goteo que parecía venir del baño. En la ciudad, pero, ¿dónde? Y en ese caso, ¿por qué no escuchaba ruido de tránsito, de gente? Sorpresivamente, la urgencia de cobrar conciencia clara del espacio, cedió ante otra, mayor todavía: ¿qué día era hoy? ¿Habría pasado ya la primera noche de encierro? Se tocó la cara con el dorso de la mano para calcularlo por su barba crecida, pero la referencia fue vaga: su barba crecía muy rápidamente, usualmente en el mismo día. Pero sí, debía haber pasado mucho tiempo, primero en el viaje y luego desmayado o durmiendo (si le habían inyectado una droga).

Sin los datos de la luz diurna y la oscuridad de la noche, su cuerpo estaba completamente desorientado. Por cierto, le habían quitado el reloj; observó también que sus zapatos estaban sin cordones, para dificultarle más cualquier intento de escape. Tenía que admitir que sus captores pensaban en todo. Recordó que el día en que fue capturado era un jueves, y lo recordaba porque los jueves había reunión de gabinete y él esperaba saber por la televisión lo que habían discutido esa tarde. Si había pasado ya una noche (no estaba del todo seguro, pero podía jugar con esa hipótesis probable), hoy era viernes. Pero, ¿qué hora del viernes? La luz del tubo fluorescente zumbaba como un mosquito y daba a la pieza un aire espectral, deslavado: no había tiempo en ese ambiente. El "médico" se había quedado conversando un rato en voz baja con Víctor y luego había desaparecido;

cuando tiró la puerta, él observó que la pared de ese lado tembló un poco con el golpe. Parecía un tabique; ese detalle lo tentó y lo intrigó. Pensó que era absurdo imaginar que lo habían encerrado en una pieza de aspecto tan frágil, tan inseguro. Algún dato esencial le faltaba para comprender bien. El camarada Víctor lo hizo sentar en el ángulo opuesto, cerca de la puerta que daba al baño, y él se colocó al frente, contra la ventana tapiada, con la metralleta entre las rodillas recogidas. Lo miraba con una indiferencia total, como si su presencia lo aburriese.

Súbitamente, sintió el estómago hinchado y ardiente. Le dijo al camarada Víctor que tenía que ir al baño y le mostró las manos esposadas por delante. Víctor dijo:

—Te advierto: vas a estar esposado todo el tiempo, hasta que sepamos que podemos confiar en ti. Así es que no intentes nada raro mientras tienes las manos libres. Te doy tres minutos.

El entró al baño y cuando quiso cerrar la puerta, sintió que la pesada bota del otro se lo impedía. El tipo se quedó justo tras la puerta entreabierta, vigilándolo. Al prender la luz —un foco pelado que pendía de un alambre retorcido— vio que el baño era también minúsculo y daba una impresión de mayor antigüedad que la habitación misma: bajo la pintura más reciente, había una cantidad indeterminable de otras capas parcialmente removidas; las tuberías expuestas estaban oxidadas y mil veces parchadas. La ducha era una regadera sobre un cuadrado de mayólica amarillenta, con un hueco al medio. El agua caía continuamente de la parte alta de una de las cañerías; el goteo era lento, obsesivo. Al verlo caer, no sólo oírlo, sintió como si le hubiesen revelado un secreto fundamental para su vida: el ruido venía de *allí*. Había también un pequeño lavabo y un excusado, tan cerca uno del otro que, cuando él se bajó los pantalones y se sentó, tuvo que mantenerse un poco inclinado. Bajo el lavabo habían unos papeles de periódico. Venciendo su repugnancia, trató de tomar uno para leerlo; no le importaban las noticias: le importaban las fechas, si podía dar con una.

—Deja eso mejor —dijo el camarada Víctor, abriendo un poco más la puerta con el caño de su metralleta—. Recuerda que antes de hacer algo, tienes que pedirme permiso.

Soltó el papel y dejó que su vista vagase por la parte alta de la pieza; había una ventanita mezquina, muy alta, pero estaba parcialmente cubierta por una plancha de madera; sólo habían dejado una pestaña de luz en la parte de arriba, por la que apenas se podía deslizar una mano, y de la que venía un viento frío, que hacía oscilar el foco. Observado continuamente por Víctor, observándolo él mismo aunque no quería, su urgencia luchaba con su tensión: tenía un tiempo limitado para usar el baño. Sentado en el sucio excusado, con los pantalones rotos y sostenidos sobre sus rodillas, se sintió terriblemente humillado, como un animal que trata de vaciar sus tripas en un jardín y es echado a escobazos por los vecinos. La situación le pareció primero la remota consecuencia del fracaso de muchos, desde el gobierno hasta el último obrero, a lo largo de muchos años; después, de su propio fracaso: su peor error era el haber creído que el Consejo —que él, en realidad— iba a ganar la batalla contra el terror. De hecho, el terror se había reproducido y ahora tenía hijos ilegítimos. El sabía que el gobierno toleraba la existencia de bandas parapoliciales para contrarrestar un poco la amenaza de la violencia sectaria. Odiaba que lo identificasen con el gobierno, por el simple hecho de que éste había bendecido, después de muchas dudas, la formación del Consejo. El había asumido el riesgo de ensuciarse las manos para probar que su teoría funcionaba, no para sacarle a nadie las castañas del fuego. Si todo fallaba, no tenía otro camino que el exilio. Un sabor acre le subió a la boca y creyó que iba a vomitar; con alegría, con sorpresa, sintió que su estómago se derramaba, al fin, en una diarrea caliente e incontenible, de niño. Víctor contemplaba todo, imperturbable. El dudó si era el miedo o la comida lo que lo había afectado. Se tocó la frente cubierta de sudor y tuvo un instante de extrañeza total: ¿de quién era este cuerpo que apenas podía gobernar? No reconocía ninguna de sus reacciones: él era otro, él estaba en otra parte. Se imaginó que a esta hora, si eran las primeras horas de la noche, él podia estar en casa, charlando con Ursula en el confortable estudio de abajo, sentados en los hondos sillones de cuero, bebiendo café en esas tacitas azules que a ella le gustaban tanto, mientras Daniel hacía sus tareas en la pieza contigua o hablaba con alguien por teléfono sobre motos japonesas.

—Apúrate —le advirtió el camarada Víctor—. Ya pasaron los tres minutos.

El se levantó, ya aliviado, se limpió e hizo pasar el agua del excusado, que regurgitó con un sonido de torrente. Disimuladamente, mientras se lavaba, levantó su mano derecha hasta la altura de la ranura superior de la ventanita y sintió el agradable soplo del aire helado, puro. Allá afuera la vida seguía normal. Le pareció oír la voz de una mujer que tarareaba una canción antigua, pero no pudo recordar cuál era. Apenas salió, Víctor le colocó las esposas. Sin que nadie se lo dijese, fue a echarse a su rincón, diligente como un animal doméstico, reconociendo la colchoneta que le servía de cama. Estaba aprendiendo rápidamente su rutina. Creyó ver que los labios circulares de Víctor se distendían en una sonrisa de tranquila satisfacción.

Supo por el impacto que la camioneta verde había chocado su auto, lo que le produjo la sensación de haber sufrido un golpe en la cabeza. Se la tocó y comprobó que no sangraba, aunque dolía un poco. Pero ahora estaba bien, caminaba y coordinaba sus palabras de modo coherente, y hacía frente a la situación del mejor modo posible. Le pidió al hombre que manejaba la camioneta que se identificase (era el chofer de una compañía de artículos eléctricos) y copió los datos en un papel, mientras esperaba que algún policía se acercase. El hombre se disculpó y él, aunque estaba muy fastidiado, no quiso ser muy agresivo y evitó más bien cualquier discusión sobre quién tenía la culpa, aunque era claro que la camioneta había intentado cruzar con imprudencia. Contempló el daño, que era mayor en la puerta posterior: estaba descentrada, no se podía abrir y tenía el vidrio trizado. El policía vino lentamente y les pidió a ambos sus documentos; él ingresó a su propio auto para sacarlos de la guantera, pero al abrirla sólo encontró el diario que —estaba seguro— había dejado doblado sobre el asiento. Leyó asombrado el gran titular; decía: "PELIGRO PARA LOS QUE" y trató de seguir leyendo pero no pudo, porque un pedazo del diario estaba roto, o él lo había desgarrado al sacarlo de la guantera. Sin documentos, el policía empezó a mirarlo como a un sospechoso. Al buscar en su cartera, como último recurso, no halló sino unos cuantos billetes y unas estampillas tan viejas que la goma se había resquebrajado con el calor. Recordó que tenía que echar al correo una carta urgente para alguien —una carta secreta, una carta comprometedora y precisa, con una dirección "a cargo de" que desconocía, donde él decía cosas que no había dicho a nadie, ni siquiera a él mismo—, pero tampoco pudo hallarla en ninguno de sus bolsillos. A lo lejos, vio a Ursula que le hacía señas o lo despedía agitando precisamente esa carta. Trató de explicarle al policía, pero éste ya había llamado por radio a otros autos policiales, que habían llegado ululando y que ahora lo rodeaban con sus revoloteantes luces rojas. Ursula trató de acercarse a él, pero él la apartó porque no quería que se mezclase en esto. Sintió que alguien lo tocaba en la frente y vio que era su propia mano, convertida en un muñón pesado y hormigueante por el peso de su cabeza dormida. Despertó violentamente, como si un fogonazo hubiese iluminado la pieza.

Un instante después escuchó el canturreo de la mujer, que se había convertido, dentro de su limitada rutina, en un elemento clave de su sentido del tiempo. Había establecido que el canto de la mujer señalaba el comienzo de la "mañana," acompañado con el olor de algo que parecía azúcar quemada metiéndose por la rendija del baño.

Seis "días" habían pasado así. Las ocurrencias habían sido minúsculas, aunque no había nada que él considerase de poca importancia, seguramente para matar el letal aburrimiento. Al segundo "día" conoció al camarada Willy, un muchacho de barba crespa y aceitosa como lana de carnero, aunque ligeramente calvo; se turnaba con Víctor pero nunca dentro de períodos fijos —alguien debía estar pensando todo, alguien calculaba que él trataba de calcular el tiempo de su encierro—, y a veces los había visto rotar la guardia a intervalos muy cortos, como de media hora. Prefería estar vigilado por Willy antes que por Víctor. Willy podía ser físicamente brutal, pero era mucho más inteligente que el otro y, cuando el tedio lo vencía, hablaba parcamente con su prisionero, por propia iniciativa. Víctor sólo le daba órdenes y parecía que esa labor lo honraba; Willy lo hacía cumpliendo con un deber. Él notó que Willy rengueaba un poco y que tenía una antigua cicatriz que le fruncía parte de la mejilla izquierda; este muchacho debía haber sido herido en alguna acción y quizá estaba resignado ahora a una tarea menos activa. El cuarto "día" fue, con mucho, el más interesante de todos: hubo, evidentemente, una situación de alarma. El pudo escuchar las sirenas de la policía, pasando muy cerca, como buscándolo. Por una hora le colocaron las esposas por la espalda y lo volvieron a vendar, pero él pudo adivinar que Víctor y Willy estaban juntos, por única vez, vigilándolo, ambos con sus metralletas apuntándolo en silencio. No supo si alegrarse o no cuando las sirenas se alejaron luego de un lejano intercambio de tiros, al que siguió un pesado silencio: si el lugar hubiese sido invadido por la policía, lo habrían encontrado muerto. La situación fue grave no sólo para él, sino para los otros; sintió que la pequeña habitación se llenó con el olor acre de los cuerpos de Willy y Víctor: matar y morir eran allí actos contiguos.

Dos "días" después de su captura, se sentía inmundo; aunque se bañaba en la escuálida ducha, tenía que ponerse la misma ropa destrozada y sucia; no le permitían lavarla. Al "día" siguiente le dieron una camisa nueva, que parecía haber sido enjuagada con agua salada, y gruesos calcetines militares; la barba le había crecido y como no podía peinarse, el pelo mojado se le apelmazaba en desorden; eso y la barba le daban en el espejo roto del baño un aire de náufrago de historieta. Nadie se preocupó en cambio de sus pantalones casi en hilachas.

En uno de sus abruptos diálogos con Willy, éste mencionó por casualidad que él iba a conocer pronto a alguien muy importante en el partido. Reveló, como si fuese un terrible secreto, su bien conocido nombre de guerra: "el camarada Abel". Su rostro imaginado por dibujantes policiales, estaba en todos los periódicos pero nadie lo había visto o al menos sobrevivido para contarlo. Willy le confió que, en realidad, ese encuentro debía haberse realizado ya. Dijo: "El camarada Abel tiene que ocuparse de todo, y también de ti. Pero ha habido dificultades que están siendo superadas." Hablaba como los comunicados del grupo. Él consideró eso como una referencia al cerco policial, que debía ser muy grande e intenso. Quizá eso lo mantenía vivo, pero alargaba la tortura. Hablar con el camarada Abel se convirtió en una especie de gran acontecimiento que él empezó a ver como si lo hubiese esperado toda su vida. Todo podía decidirse en ese encuentro: al fin sabría qué es lo que podría pasar con él, y por qué, sobre todo por qué. Que su destino se resolviese gracias a la intervención de un hombre del que ignoraba todo, le pareció una suprema ironía: si él hubiese sido un creyente, Abel sería Dios, un instrumento providencial que juzgaría sus faltas y sus intenciones y pronunciaría sentencia. Un juez diligente, interesado en el caso, pero inconmovible.

Dormía sobre la colchoneta colocada en el suelo, cubriéndose con una sola frazada llena de huecos; aunque el frío del piso se traspasaba un poco, descansaba (o le parecía) bien y se levantaba sin sentir rencor por nadie, satisfecho de sueño, como si ésta fuese su casa. Soñaba copiosamente; sus sueños eran de una complejidad y riesgo crecientes, aunque no eran exactamente aterradores. Las amenazas quedaban pendientes, como demoradas, sobre su cabeza; los plazos siempre se prorrogaban a último minuto. Frecuentemente, mientras dormía soñaba que estaba dormido y soñaba; en ese inquietante sueño interior (alguien lo buscaba y le seguía los pasos cada vez más cerca, porque él ya sentía su respiración a tabaco), él trataba de despertarse a sí mismo sin conseguirlo; cuando lo lograba, pasaba al primer sueño o tal vez a una duermevela en la que, por el momento, estaba seguro, protegido por una presencia a la vez definida e indefinible; tenía suaves rasgos de mujer, pero podía ser un hombre disfrazado para confundirlo.

¿Era Ursula? Estaba casi seguro de que no. Tampoco su madre, ni nadie que conociese. ¿Quién entonces? ¿De dónde salía esa figura y por qué no se definía nunca? Sintió una agonizante necesidad de estar con Ursula; ni siquiera de besarla o abrazarla, sino de saber que podía hablar con ella, con las tazas azules llenas de café hirviendo al lado. Ursula lo amaba, aunque nunca se lo decía porque no había sabido superar el hecho de ser su segunda mujer y pensaba que él siempre estaba comparándola, sacando conclusiones negativas sobre ella: la primera esposa de él era un manchón en una carta de amor, una falta de ortografía que empañaba lo que Ursula quería que fuese una escritura impecable; era posesiva por arrogancia. El nunca pudo convencerla de que su primera mujer estuvo casada con él, no con ella. Eran un matrimonio de tres, con un incómodo fantasma instalado entre ellos. La figura que aparecía en sus sueños tampoco era esa primera mujer, aunque él se esforzaba porque así fuera, para resolver la cuestión. El amor de Ursula era quieto y constante, como la llamita de una vela protegida del viento. Con ella él se sentía siempre acogido, en cualquier circunstancia, especialmente si la situación implicaba riesgos de los cuales él no era conciente; ella sabía escuchar con una paciencia monástica y razonaba con espléndida claridad, casi artísticamente. A él le encantaba que Ursula, en la cama, involucionase a un estado de erotismo infantil, a un nivel de actividad regresiva y salvaje, ligeramente brutal; le recordaba a su propio hijo cuando era tan pequeño y tan ferozmente cariñoso, que le daba cabezazos en la nariz o le metía los torpes dedos en los ojos. Pero esos estados primarios de Ursula eran cortos y daban ser la impresión de ser algo dolorosos para ella.

El le había sido absolutamente fiel desde que la conoció, o casi, pues no sabía si contaba o no esa vez, ese encuentro de una única noche cuya tumultuosa violencia, cuya consistencia irreal y desgajada del tiempo lo habían dejado atontado, como si lo hubiesen empujado en la oscuridad para caer en un lecho de plumas con esa mujer alta y de hombros cuadrados, los finos pómulos marcados por un sombrío rubor artificial que creaba un efecto de plano facetado, los ojos clarísimos y profundamente encajados bajo unas cejas espesas, cuyos arcos formaban una especie de arista, y el pelo negro azulado con un corto flequillo que le daba un aire ambiguo, aunque era perfectamente claro que sólo una modelo o una mujer muy rica o algo así, podía estar maquillada de ese modo, como saliendo de una fiesta ya muy tarde, con una camisola color humo sobre unos pantalones de seda atados a los tobillos, pero ahora ella tenía una rodilla en el suelo del inmenso parking desolado, donde, bajo una luz ictérica, él pudo ver, mientras encendía el contacto de su propio auto, lo que estaba pasando: a la mujer evidentemente se le había deslizado la llave debajo de su Mercedes azul metálico, y trataba infructuosamente de alcanzarla con la punta de su cartera y luego con el pie de la otra pierna estirada. Se bajó a ayudarla y observó que la afilada mano blanca que ella le mostró tenía unos manchones de la arenilla regada sobre la plancha de concreto. El se agachó bajo el guardafangos delantero y vio perfectamente el brillo de la llave, también inaccesible para él. Volvió a su auto, trajo una linterna y la varilla de metal con la que acostumbraba apagar o prender la luz de su garaje sin bajarse. La varilla logró empujar la llave hasta que pudo alcanzarla, pero en el proceso la grasa depositada bajo el reluciente Mercedes le ensució las manos y luego una rodilla del pantalón, y para colmo de males se hizo tontamente una herida en la muñeca con algo puntiagudo tras el guardafangos. Ella habló de la posibilidad de infección y él se sonrió porque le pareció una exageración: bastaría una curita. Pero, ¿dónde conseguir una curita a estas horas? Tal vez en casa él tendría alguna, no había que preocuparse. Ella insistió y al ver que la sangre no paraba y que el pantalón era una desgracia, le dijo que no, que él iba a hacer lo que ella le estaba diciendo, o sea conducir su auto detrás del Mercedes e ir al departamento de ella donde tenía (estaba completamente segura) montones de curitas y además un spray para limpiar ese pantalón antes de que se arruinase del todo. Esos detalles los recordaba bien (con la fijeza de un sueño, en verdad, no como algo que tuviese algún sentido o alguna razón para estar en su mente), pero no del todo los siguientes, es decir, los que se produjeron tras el ingreso de los dos al departamento y después a una pieza privada que parecía creada por un director teatral, con colores fríos y luces indirectas escondidas en el suelo y espejos enfrentados que lo mareaban un poco (uno se abrió y mostró un baño rosado y ceniza, otro era un closet colmado de vestidos que tenían algo de disfraces) y enormes maceteros blancos con palmeras y plantas de café, más un pájaro negro cuyo pico tenía el color de la yema de huevo y que no cantaba, sino que gemía tristemente como una gaviota. Casi sin hablar (una de las cosas que más recordaba era el opresivo silencio, la sensación absurda de que no hablaban porque ya habían hecho esto antes y repetían una escena bien aprendida) y sin haber mediado ningún indicio previo de nada, ella lo atrajo firmemente hacia sí, como para que oliese el perfume a sándalo o incienso que había en sus orejas, mientras le cubría los ojos con una mano que sintió helada como una venda de seda. Y luego ya no hubo nada en orden, nada realmente reconocible o que siguiese un proceso definido; fue como un cataclismo, como una caída vertical en el vacío, que producía las imágenes inconexas de un film que contenía una historia pero que estaba aún sin compaginar. Lo que ocurrió, ocurrió como en ráfagas, por torrentes que borraban las mismas sensaciones que producían; en uno de ellos, él podía vislumbrar, como entre un vaho engañoso, el momento en que ese cuerpo de blancura lunar se despojó de una suntuosa ropa interior que no parecía cubrirla sino meramente decorarla (por su brillo acerado y su gratuita perfección podría haber sido comprada en una joyería) y se dejó contemplar largamente y luego con un furor controlado lo contempló a él y lo tomó con una fuerza casi vengativa en sus brazos, en sus labios que tenían una desvaída fragancia a menta, entre sus piernas y después las abrió para él e hizo que él las abriese para ella y lo mordió y fue mordida y quiso probar sabores que había probado antes pero que ahora (le dijo) eran nuevos y la embotaban y la despejaban y rogó más lento y exigió más rápido y pidió ser montada y desmontada y tomada varias veces y llevada de aquí para allá pero sin soltarse de él y ya no volvió a hablar más, extenuada y estremecida de placer pero también de desesperación por agotar todo en un solo trago, sabiendo que ésta era la única vez aunque para ambos era una vez astillada en mil fragmentos filosos, que arañaban las gargantas y herían las lenguas mientras permanecían rodeados por un silencio hueco apenas interrumpido por la queja lúgubre del pájaro que los miraba hacer con el ojo impasible de un espía, y luego hubo un gran hoyo negro por el que la mujer desapareció para siempre sin que él supiese cómo.

Al cumplirse la cuarta semana compuesta de esos "días" indistintos y ambiguos, justo después de terminar la misma sopa de siempre, con una peculiar satisfacción en la voz tapada de flemas, el camarada Víctor le dio la noticia tan largamente postergada: que el tribunal revolucionario estaba listo para juzgarlo y que el camarada Abel lo presidiría.

Hubo, sin embargo, como cuando un dignatario concede una audiencia, algunos prolegómenos y nuevas dilaciones. Una "mañana" (él acababa de oír canturrear a la mujer en medio de un ruido de ollas y platos), su rutina fue alterada del todo: entraron dos hombres que él no había visto hasta entonces, que lo miraron atentamente sin hacerle ninguna pregunta. Al rato, uno le dio una maquinilla de afeitar y le señaló el baño. Mientras se rasuraba la barba bajo la vigilante mirada de Víctor (la navaja era incuestionablemente un arma), pensó si esta súbita preocupación por su apariencia indicaba que sus captores tenían un criterio establecido sobre cómo debían lucir sus víctimas ante sus jefes, así como los deudos maquillan a sus muertos para luego recordarlos mejor o para hacerlos más aceptables a Dios. El otro hombre abrió un paquete y mostró un atado de ropas, muy usadas pero limpias, y le ordenó que se las pusiese. Con agrado se colocó el pantalón de tela áspera y tiró el suyo, cuya suciedad casi lo entristecía. Le dieron también otra camisa que tenía algunas roturas zurcidas en la manga y además un suéter que le quedaba un poco grande. Se miró y tuvo la impresión de ser uno de esos vagabundos que se acogen a la protección de un albergue donde obtienen ropa, cama y una sopa caliente. El mismo hombre de la ropa sacó luego una cámara con el flash ya instalado y él se dio cuenta de que su secuestro estaba entrando en otra etapa, la definitiva: tras haberlo tenido oculto, ahora querían hacer con él el mayor ruido posible; todo se convertía en un acto publicitario y él era el producto que había que vender, al mismo tiempo que su precio. Con una facilidad que lo asombró, se resignó a la nueva situación, como esos concursantes de la televisión que son primero humillados y luego premiados. En su caso, el premio era hacerle saber a Ursula, a todos los que se preguntaban por él, que estaba vivo; en dificultades pero, por el momento, vivo.

Fue manipulado por todos. Lo sentaron bajo los símbolos del partido y justo en medio de los tres retratos, como si quisieran redimirlo con su santidad. Le acomodaron el cuello de la camisa, le dieron un peine y le ordenaron que se arreglase el pelo; lo hicieron sentar sobre unos periódicos viejos, luego se los quitaron. Le dieron un cartel rojo en el que había una larga inscripción en la que él apenas pudo descifrar su nombre —lo obligaron a mantenerlo delante de sí, impidiéndole leer el resto— y lo tuvieron así, enmarcado por sus símbolos gloriosos, durante largos minutos, sin que el hombre de la cámara oprimiese el obturador. Contemplaban esa escena creada por ellos mismos con la frialdad de críticos, movidos por un afán perfeccionista. Se preguntó si le pedirían que sonriese. La espera le dio tiempo para idear una pequeña señal hacia el mundo exterior, hacia Ursula y los que confiaban en volverlo a ver, algo que burlase la cuidada premeditación de esa fotografía que iba a circular por todas partes. Lo pensó bien pero no hizo nada justo hasta el último instante, cuando vio que el hombre iba finalmente a tomarle la foto: mientras trataba de no aparecer demasiado tenso ante la cámara ni tampoco demasiado cómodo, movió rápidamente los dedos índice y medio que sostenían cada punta del cartel y los cruzó, en un mensaje de buena suerte para sí mismo, de fe para los otros. El fotógrafo no percibió la mínima señal y volvió a disparar sin avisarle; él mantuvo los dedos cruzados, como negando todo el preparado simbolismo de la toma y todo lo que dijese la bandera. ¿Se darían cuenta los que viesen la foto en los periódicos o en la televisión? ¿Cómo interpretarían ese ínfimo detalle? ¿Qué cara realmente tendría y que significaría esa cara para los demás? Sintió que había lanzado un mensaje imposible de descifrar, quizá porque tampoco tenía un sentido preciso para él. La situación no era como para hacer signos de esperanza; la situación era decididamente mala. Pero, ¿qué podía hacer, ahora que sabía que su vida estaba siendo puesta en el mercado como un cebo, sino demostrar que, golpeado, atado, enjaulado, había en él una terca voluntad de resistencia? Sus dedos cruzados significaban, simplemente, *no*. Debían saber que no quería morir como un cordero.

Ese mismo "día", un poco más tarde, le dieron por primera vez papel y un lapicero. El camarada Víctor le dijo:

—Ahora vas a escribir tres cartas. Una a tu familia, otra al cerdo presidente y otra a la opinión pública —y entregándole un papel ya escrito, agregó—: Empieza copiando ésta.

El se sintió indignado.

—Lo que quieren es que yo firme cartas que ustedes han escrito, para hacerme decir lo que quieran. Yo no firmo cartas que no he escrito.

Víctor no lo esperaba y vaciló un momento antes de decir:

—Mira, tú no estás en un hotel donde puedes hacer lo que quieres. Bastantes problemas nos has dado ya. Nosotros somos aquí los que mandamos y tú te sometes o revientas. No nos interesa tu opinión. Estamos en guerra, ¿entiendes?

—No, no estamos en guerra. Esta es una farsa, en la que

ustedes quieren jugar papeles heroicos. Los resultados no son los que buscan y por eso matan a los que se dan cuenta del engaño.

—Mira, no me vengas a dar esos argumentos baratos, que no convencen a nadie. No tienes ni la menor idea de lo que se trata, de la lucha en que andamos. Si fueses la mitad de inteligente de lo que te crees, estarías con nosotros. Pero eres un tonto y un ciego, aparte de estar tan podrido como el sistema al que perteneces. Pero te voy a dar una lección, porque somos más comprensivos y tolerantes de lo que te piensas. El camarada Abel te proponía firmar estas tres cartas como parte de un pacto.

—¿Qué pacto?

—Cállate la boca y escucha: si tú copias y firmas las tres con tu puño y letra, tendrás derecho luego a escribir por tu cuenta dos cartas más a quien quieras.

—¿Y cómo sé yo que ustedes van a entregar esas nuevas cartas a sus destinatarios?

—Tú crees que somos unos traidores, ¿no? Si el compañero Abel te da su palabra de honor...

—¡Palabra de honor! ¿De qué diablos estás hablando? ¿Cómo puedo creer en alguien que me secuestra y me tiene atado?

—Vuelves a equivocarte: no estás secuestrado; tú has sido capturado. No estás aquí por gusto. Y mientras tengas nuestra protección, estás seguro. Podríamos haberte matado en el acto, pero no lo juzgamos políticamente útil. Te consideramos más de lo que crees, más de lo que mereces.

—Si tú llamas protección a tenerme encerrado peor que a un animal, no hay forma de que vayamos a entendernos. Mejor dejamos esta discusión; no tengo el menor interés en seguirla.

—Me da igual. Pero te repito que si no haces lo que te pedimos, el que pierde eres tú, no nosotros. Te dejo que lo pienses.

La cabeza le hervía: se había tragado mil insultos y se moría de ganas de lanzar el par de puñetazos que la cara porcina de Víctor casi reclamaba. Pasó un buen rato, quizá una hora. Ahora lo vigilaba Willy. No hizo sino pensar en este nuevo dilema. La idea de escribir luego él mismo *sus* cartas lo tentaba, pero se daba cuenta de que su propia urgencia era la carnada. Aparte de que sabía que ellos iban a leerlas y a suprimir lo que consideraban riesgoso para sus intereses, el mayor problema era obtener garantías de que las cartas no iban a ser tiradas a la basura. Se le ocurrió un plan, una transacción, y le pidió a Willy que la transmitiese al camarada Abel. Las horas pasaron sin que obtuviese ninguna respuesta: debían estar deliberando. Le pareció que había transcurrido una eternidad cuando, justo a la hora de acostarse, Víctor, con una cara de disgusto, le comunicó la decisión: el camarada Abel aceptaba su fórmula de no escribir varias cartas, sino una sola, refundiendo en un único texto los preparados por ellos y el que él quería agregar por su cuenta. Había una pequeña trampa en su fórmula: el contraste entre una y otra parte del texto (él se esmeraría en destacar las diferencias, él haría distinguibles los estilos) iba a delatar la patraña de la carta previamente arreglada. ¿O estaba más bien cayendo en un ardid que le tendía el camarada Abel? Quizá a éste sólo le importaba demostrar públicamente que su enemigo se había doblegado, que había aceptado sus reglas, puesto que había agregado allí mismo algo de su propia cosecha, como un endose. Ambos obraban como si estuviesen jugando una partida a la distancia, tratando de predecir lo impredecible, barajando hipótesis y extrayendo de ellas conclusiones fantasiosas.

El se pasó la noche copiando los tres textos, que eran largas letanías que no desarrollaban ningún argumento sino que lo asestaban una y otra vez, como los viejos maestros de escuela. Hizo con ellos una enorme carta, a la que agregó las palabras que difícilmente había logrado seleccionar del oscuro fondo de silencio en el que había permanecido todos estos "días". Le molestó que en los tres textos preparados de antemano, él tuviese que pedir "que se tomen las medidas que se consideren necesarias para lograr de inmediato los objetivos de la justicia revolucionaria." Esos objetivos eran, por cierto, la liberación de 136 detenidos políticos pertenecientes al grupo que lo había secuestrado, la mayoría todavía sin juzgar. Era el pedido más doloroso para él, porque todo su razonamiento político frente a la cuestión del terrorismo, se basaba en el principio de que la justicia establecida no debía responder en las negociaciones entabladas por razones políticas o de seguridad. Es decir, había cosas sobre las cuales le estaba prohibido al gobierno mismo transigir o ceder —había que poner límites en alguna parte. Y ahora él mismo, con su propia firma, estaba rogando malamente que se hiciese una excepción al principio, sugiriendo que obtener su libertad por la de los 136 presos, era una verdadera ganga. Estaba probando su propia medicina y se sentía como un moralista que se hubiese convertido súbitamente en un mercader. La pérdida de la libertad física era nada en comparación con la pérdida de una pauta interna para actuar frente a circunstancias que apenas le abrían un estrecho camino entre dos abismos. Se preguntó si la consecuencia lógica de sus creencias políticas *implicaba* aceptar su muerte como algo inevitable, al menos para probar que había tenido razón. Quizá por eso, en el párrafo final de su carta dirigido a Ursula, se podía leer: "Espero volver a verte y estar a tu lado. Pero todos tenemos que prepararnos, aunque no lo podamos imaginar siquiera, para pruebas todavía más duras. Y hay que esperar que nuestras creencias, defendidas toda una vida, alcancen para hacerles frente". Iba a agregar "hasta el último minuto," pero por pudor se abstuvo. Cuando terminó de escribir la carta y la entregó a Willy, se sintió reconfortado y con ganas de tener un buen sueño.

El primer encuentro con el camarada Abel fue un completo desastre; él se dio el gusto de ceder al impulso de ese momento, pero se arrepintió casi de inmediato.

Tuvo una decepción inicial cuando, después de anunciarle con cierta solemnidad que la hora de hablar con el camarada Abel había llegado, Víctor le colocó la venda sobre los ojos: nadie podía ver a esa secreta entidad. Trató de hallar una señal positiva en ese hecho —si no lo dejaban verlo, era porque su propia suerte todavía no estaba echada—, pero apenas sí se consoló; su curiosidad había crecido enormemente: era como si hubiese solicitado, a cambio de su libertad, este encuentro, y ahora lo tenía, pero a ciegas. Eso, no poder verlo, le pareció peor que estar esposado y encerrado, y posiblemente lo rebeló sin que él mismo se diese cuenta. Sólo sintió olores, voces, ruidos. No sabía cuántos formaban el tribunal, pero le pareció reconocer la voz del hombre que lo había examinado como médico. En la asfixiante pequeñez del cuarto sin ventilación, el pesado olor de los cuerpos resudados frente a él se le pegó a las narices. El camarada Abel fue el único que se identificó; la voz era rasposa y monótona, de cura, y él la asoció al olor a pantano, a trapos viejos y rezumados que despedía. Después de identificarse, el camarada Abel sólo alcanzó a hacerle una pregunta:

—¿Cómo te sientes?

No lo dijo con ironía: se lo preguntaba como un rodeo general antes de entrar en materia. Pero él no pudo soportar más; sobre él se precipitó, como una carga sobrehumana, todo el peso de esos días de esclavitud física, de sometimiento total a un abstracto mecanismo de guardias y alertas y manipulaciones y preparativos para el presente rito; se liberó de él con una furia explosiva que le rajó la voz cuando contestó:

—Y a ti qué mierda te importa. Anda a preguntarle a tu madre.

Hubo un segundo de silencio, que él gozó como su único triunfo hasta entonces: había arruinado la solemnidad del acto, había blasfemado ante la suprema autoridad que lo juzgaba. Luego hubo un revuelo y él sintió como si algo hubiese estallado junto a sus oídos; luego se dio cuenta de que alguien lo había levantado de la camisa y lo había golpeado ferozmente con un objeto de metal (¿o fue un rodillazo?) en plena cara. Al caer, las esposas parecieron cortar la carne de las muñecas. Sintió otros golpes más, en los riñones y en las costillas, pero el cuerpo había ganado una especie de pesadez que embotaba su propio dolor: se sentía lejos de ese objeto que los otros golpeaban. Sin embargo, alcanzó a sentir con nitidez la misma voz aguda, sin inflexiones:

—Mañana seguiremos hablando, si es que puedes, cabrón.

Cuando se vio en el destrozado espejo del baño, sintió verdadera lástima por sí mismo: tenía la cara morada, desde la nariz hasta la boca, rota por dentro, y un costurón sobre el ojo derecho, que lagrimeaba. Apenas podía respirar por un lado de la nariz; lo que más lo molestaba, sin embargo, era el golpe que le había removido un incisivo, que ahora cedía a la presión de la lengua; apenas sí podía tomar la sopa y hablaba como si estuviese anestesiado. El "médico" lo examinó otra vez; el tipo lucía un poco serio o incómodo, pero se mostró aliviado cuando comprobó que no tenía ninguna fractura. Mientras le aplicaba una sustancia rojiza en la nariz y la boca, se le acercó un poco al oído y le dijo, como dándole un consejo a un amigo: "No se le ocurra intentarlo otra vez". El no dijo nada, quizá porque no estaba absolutamente convencido de que el tipo que ahora lo curaba no hubiese participado activamente de la golpiza. ¿O tuvo el honor de ser pateado sólo por el camarada Abel? Sería lo lógico, puesto que era el ofendido. Pese al consejo, el médico no le inspiraba confianza: era un poco melifluo y él ya estaba acostumbrándose a la pareja brutalidad del trato. ¿Quería ser su amigo? ¿Era el eslabón débil del sistema? ¿Podía él utilizarlo a su favor? Debía haber alguna fisura en el círculo que rodeaba al jefe, alguno de los apóstoles tenía que ser un traidor. El problema era que a él no le gustaban os traidores, aun si podía usarlos en provecho propio. Se miró ahora con rabia: allí estaba él, golpeado y atado como un saco de basura, indefenso en esa madriguera, pero todavía resistiéndose a ser racional, práctico. ¿Por qué demonios tenía que insultar al camarada Abel? ¿Qué ganaba con eso? Absolutamente nada. Se sintió enormemente infeliz de ser como era: todo el mundo pensaba que era lúcido, pero podía ser tan primitivo e instintivo como cualquiera de sus captores. El dolor físico se sumó ahora a la sospecha de que el encierro ya había producido una irreparable degradación moral. Los ojos se le llenaron de lágrimas que no alcanzaron a correr; lloró lágrimas secas, de vergüenza.

Tres "días" tuvieron que pasar antes de que lo considerasen listo para comenzar otra vez la ceremonia, y él reconoció que la espera, más larga de lo previsto, lo volvió a llenar de ansiedad. Se sentía como un actor que está aprendiendo un papel, a través de duros ensayos que felizmente le permiten corregirse. Ahora se consideraba apto y con una sensación de cuentas previamente saldadas: había atacado al camarada Abel y el camarada Abel lo había atacado a él. Ya podían comenzar a discutir seriamente.

Siempre vendado y atado, asistió a la sesión del tribunal designado para ver su "caso". Fue advertido de que primero alguien del tribunal leería las acusaciones que pesaban sobre él; luego, él tendría oportunidad de defenderse a sí mismo; más tarde, el camarada Abel haría la acusación final y, por último, él escucharía su sentencia. Una mano le tocó la mano derecha y buscó su pulgar, para presionarlo contra una almohadilla húmeda. El formalismo, primero, le pareció ridículo: ¿acaso no estaban ellos seguros de que él era él? Pero después razonó que, como el juicio era una comedia ya preparada y sin sorpresas posibles, el acusado era automáticamente el culpable y éste debía ser fehacientemente identificado antes de ser ajusticiado. Imaginó que eso suponía que pensar en que le darían un balazo en la nuca y que luego tirarían los restos al borde una carretera con un papelito en el bolsillo, era algo ingenuo; tal vez el destino de su propio cadáver era también dudoso: ¿acabaría en un río, comido a pedacitos por pequeños y voraces peces? El trámite de la identificación le hizo recordar que la policía en esta ciudad no comenzaba a indagar una denuncia si el interesado no demostraba primero que su casa era su casa, con ayuda de testigos. Desde muchacho había tenido una secreta repulsión por la policía: eran como delincuentes, pero con poder.

Si las leyes ordinarias podían ser tan estúpidas o tan suspicaces, ¿por qué pedirle algo distinto a los que les oponían otras para operar en la clandestinidad?

Nunca lo imaginó pero el acta de acusación duró horas y horas. Al comienzo, su atención estaba tan absorbida por lo que se leía en su contra que el mundo fue, durante largo rato, nada más que esa voz un poco aguda y distorsionada, como si la escuchase a través de un altoparlante, que hablaba de él y de lo que había hecho en el campo político como si tratase de explicar algo sumamente complejo a un niño deficiente: era la caricatura de sus actos y de sus ideas. La distancia que había entre eso y la realidad era cómica. El trató de memorizar los párrafos más salientes para luego refutarlos y hasta encontró respuestas que desmoronaban como arena todas esas abstracciones escritas en un lenguaje en el que se notaban varias manos, varios grados de dogmatismo, pero un solo tema: su culpa enorme e irredimible. ¿Serían así los juicios de la Inquisición? ¿Sería ése el momento en que las rodillas de los acusados empezaban a temblar y a preparar las abjuraciones de sus reales o presuntos delitos? En vez de miedo, él sintió ira y luego un infinito aburrimiento: defenderse de esta acusación era irrisorio, era honrarla con la introducción de cierta lógica. Los argumentos daban vueltas sobre sí mismos, se mordían la cola como serpientes furiosas, lanzaban veneno sobre veneno, desfigurando todo en un carnaval sombrío. Soportar eso ya era bastante; lo hacía peor el otro aspecto el asunto: el estilo autocongratulatorio que la secta usaba para definirse. Gentes como él, como los partidos con los que él había tratado de conciliar, como este gobierno y todos los gobiernos que hubo antes, eran el mal; pero tras el apocalipsis venía la tierra prometida del terror, de las milicias campesinas, de los ajusticiamientos populares, la visión beatífica de los pobres saciándose en las bodegas henchidas de las casonas de los ricos, la sonriente solidaridad de los líderes del Tercer Mundo, el colorido paraíso de barbas y metralletas y niños levantando el puño o besando el reseco cachete de un anciano líder eslavo o poniéndose el bonete atigrado del jefe rebelde africano. La guerra iba a ser larga, pero para los sobrevivientes iba a ser, sin duda, feliz. Él, decía el acta, se había opuesto malignamente a ella. La monótona tirada siguió y machacó tanto que, hacia el final, él se había desconectado por completo del asunto. Pensó en Ursula, que siempre le decía: "Hasta los malos argumentos tienen una razón. Escúchalos". Este tenía que ver con él, pero se le hacía difícil atravesar toda esa inextricable masa verbal y referirla a un caso de vida o muerte; era un lenguaje violento pero pueril: no parecía que un destino humano, y menos el suyo, pudiese estar jugándose allí.

—Puedes hablar en tu defensa, si quieres —dijo una voz a su izquierda—. Diez minutos.

Le pareció poco y mucho a la vez. Pero prefirió protestar:

—¿Diez minutos? —dijo—. Ni el peor tribunal del mundo...

—Levántate —interrumpió la misma voz.

—¿Cómo? —preguntó él—. No creo que...

—¡De pie! —gritó la voz del camarada Abel, que ahora sonaba para él inconfundible.

Obedeció y se levantó de la dura silla en que lo habían sentado. Estaba sumergido en un mundo de formas vacías: la justicia no importaba, pero sí el respeto por los verdugos.

—No creo que tenga mucho que decir sobre la acusación: es minuciosa pero rigurosamente falsa. Peor: es tan falsa que ustedes mismos lo saben. Es un texto de propaganda, no un documento legal.

—Te hemos concedido derecho de defensa —dijo la voz áspera del camarada Abel. Sonaba irritada: el actor principal de su acto estaba saliéndose del papel—. Sólo puedes referirte a lo que has escuchado; otros comentarios están prohibidos.

—¿Prohibidos por quién? —preguntó, él también iracundo: la temperatura de la escena iba subiendo—. ¿Por ti, no es cierto? —y señaló con sus manos esposadas al frente, seguro de que apuntaba en dirección de la voz, hacia la cara invisible del camarada Abel—. Mira, tú y yo estamos perdiendo tiempo. No me interesan esos argumentos de alguna comisión menor de los tuyos. Me interesa hablar contigo, explicarte algunas cosas y responder las que tú me preguntes. Me interesa un diálogo real, ¿te das cuenta?

Se admiró de su propia insolencia: así no se hablaba ni a un candidato a alcalde. El camarada Abel y su grupo detentaban un poder incuestionable, encarnaban algo que él, siendo su enemigo, no podía negar: la rebelión brutal de los tuertos hartos tras décadas de desgobierno de los ciegos. Los movía el odio y la revancha, pero ¿cómo negar que sus vaguedades teóricas se alimentaban del limo pisoteado de dolores y frustraciones específicos? ¿Qué esperaba? ¿Que después de surgir inflamados por la desesperación actuasen como filósofos? Si alguien les hubiese enseñado a pensar... Empezó a ver el costado *legítimo* de sus enemigos y volvió a asombrarse. Sí, estaba sinceramente aguardando una discusión de fondo, no porque pensase ganarla o salvar la vida, sino por un principio moral: tras la sólida mentira de la acusación, tenía que haber un lugar para la búsqueda de una verdad, de una aproximación a ella. Esperó con curiosidad, escuchando su propia respiración en medio de cuchicheos, movimiento de papeles, ruido como de sillas o manazos sobre la mesa: había provocado una discusión sobre la discusión. Oyó que alguien entraba o salía, quizá varios.

—Mira —dijo la voz lenta y como desanimada del camarada Abel—, este juego tiene sus reglas y tú las conoces, o debes conocerlas. No vamos a acomodar las cosas a tus preferencias; no estamos aquí para complacerte. El tribunal considera que no has absuelto ninguna de las graves acusaciones que se han leído aquí. Tus diez minutos han pasado; no tendrás otra oportunidad. El tribunal ahora ha pasado a deliberar, pero me ha exonerado de la obligación de estar con ellos. Estamos tú y yo solos. El proceso sigue, pero podemos hablar mientras está en receso.

Le molestó la hipócrita patraña del jefe absoluto consultando a los suyos y siendo dispensado por ellos para un asunto menor como éste. ¿Cuántos juicios populares se habrían realizado en guaridas como la suya? Seguramente decenas; las sentencias de muerte habían acumulado ya tantos cadáveres, que uno más era parte de la rutina. Estas cosas, su propia protesta, debían haberse producido antes, ante el bostezo de los jueces. Rogó no ser el primero: tenía que haber personas capaces de ser decentes hasta el fin. Pero, en el fondo, estaba contento por su pequeña victoria: había devuelto el encuentro a un plano personal, tangible. Habló:

—Lo que espero es tu acusación específica contra mí. Quiero saber por qué me has perseguido, por qué me has atrapado y cuándo me vas a matar.

—*Yo* no te voy a matar —respondió la voz, siempre con su tono cansado y pedregoso—. Los crímenes contra el pueblo los castiga el pueblo armado, no yo. El partido dicta sentencia y la ejecuta a través de organismos bien establecidos.

—Lo que llamas organismos bien establecidos son bandas a las que has fanatizado con ayuda de un catecismo de doce páginas y que, confiados en que con sus actos alcanzarán el cielo proletario que les tienes asegurado, actúan ya sin pensar. Tus hombres del futuro son una mezcla de robots y criminales. Pero tus enseñanzas tendrán largos frutos: hoy puedes decidir matarme a mí, mañana pueden decidir matarte a ti. Invocar a la CIA siempre es fácil, tú lo sabes. Siempre hay alguien que está más la izquierda que tú, que dispara con menos repugnancia.

—Eres más ignorante y estúpido de lo que pensaba —dijo el camarada Abel; ahora su voz sonaba francamente airada pero al mismo tiempo algo insegura: él lo estaba atacando desde un ángulo que no esperaba, para el que su manual no tenía nada previsto—. ¿Así quieres hablar de política conmigo? Tienes la cabeza llena de ideas que se pudrieron hace tiempo; el mundo ha cambiado ante tus narices y no te has enterado. Lo que hemos hecho nosotros es quitarte el piso y también el techo protector con el que actuabas; somos la realidad, ¿ves? Somos el futuro; no perteneces a ese mundo.

El se rio de buena gana, satisfecho de que el otro empezase a pisar sus terrenos.

—Si tú crees que tus ideas son nuevas, estás absolutamente equivocado. Las mías nacieron hace tiempo, es verdad, pero nacieron para combatir el error de las tuyas. Yo no estoy en tu historia futura, pero tú no has salido de la prehistoria: el primate original no fue más intolerante que tú. Y mataba, limitadamente, pero con eficacia. Tu futuro está, en realidad, *detrás,* lo que no es raro porque, en tiempos desesperados, los hombres intentan retornos y recodos que les dan la sensación de estar empezando otra vez de nuevo.

—Te ofende el derramamiento de sangre, igual que a las señoras — dijo el camarada Abel con profundo desdén—. ¿Por qué no examinas el asunto? ¿A quiénes matamos? A la escoria humana, a los explotadores, a los que han hecho de este lugar la mierda que es, los que han matado de hambre a generaciones enteras ellos mismos. Ahora es nuestro turno: no hay sitio para nuestros enemigos.

—Ustedes no tienen enemigos: tienen víctimas. Y cada día tienen más, a izquierda y derecha, y a veces dentro de tus propias filas. ¿A cuántos has expulsado y luego ejecutado por no serte leales ciento por ciento? ¿Cuántos de los que disintieron contigo están ahora vivos? Ustedes disparan y luego teorizan sobre el cadáver; si alguien cae, ése *era* el enemigo. Las balas que tú ordenas disparar están previamente benditas: todas son justas. Si no encuentran un buen objetivo, lo inventan; y ahora sospechan sobre todo de sus "aliados naturales:" campesinos, obreros, estudiantes...

—Esos no son ni campesinos ni obreros, sino traidores a su clase. No son aliados de nosotros, sino de ustedes.

—Pol Pot pensaba igual y encontró que había un millón de personas que discrepaban; como no cabían en las cárceles, los acomodó en una gigantesca fosa común. Stalin ha muerto, pero ha dejado miles de hijos regados por el mundo y tú eres uno de ellos. Dime: ¿dónde trazas tú la línea? Cada semana tus principios teóricos son reexaminados por grupos de cazadores de brujas, cada consigna táctica niega a la anterior y fulmina a sus intérpretes. Tú y tu partido operan como consejeros de los Borgia, como los monjes en la corte de los zares. Tu acción pertenece a una época anterior al cine mudo. No me vengas a hablar del futuro.

222

—Aunque trates, no puedes evitar verlo todo con la óptica de tu clase: cada vez que el pueblo se rebela y se levanta en armas, los burgueses se rasgan las vestiduras y corren a poner doble candado a sus casas. Lo que no saben es que haremos saltar todo en llamas, tarde o temprano. La suerte está echada; lo que tú crees sinrazón es la razón desnuda de disfraces, pura.

—Los "burgueses", como tú nos llamas, tenemos nuestras casas, ustedes tienen sus partidos. Lo que buscas es un mero cambio en el título de propiedad. Te esperan muchas sorpresas. La mayoría de los obreros —si hablases con ellos, no en nombre de ellos— te dirían que prefieren vacaciones pagadas y un televisor a color, antes que la guerra popular prolongada. Las "clases" existen, pero están compuestas de individuos. Destruyendo todo, no vas a avanzar un paso. Es fácil destruir un país (a veces basta dejarlo), pero no rehacerlo. Además, ¿con quiénes? Ustedes no son sino unos pocos miles. ¿Piensas convertir al resto a tu fe con bautismos de fuego? ¿Vas a resolverlo con fusilamientos en masa para que sólo quedan los auténticos duros, los que no pestañean si hay que denunciar al padre o ejecutar a la hermana?

—En nuestra acción tú ves el caos, el crimen. No entiendes en absoluto; nuestra acción es una corrección radical de la historia. En este lugar nunca ha habido justicia, tú mismo lo has escrito una vez. ¿Qué es lo que defiendes, entonces? Una abstracción también, más grande que la mía. Antes de nosotros, esto ya era una tierra arrasada. Nosotros eliminamos sólo la hierba mala que ha crecido en el páramo durante cientos de años.

—Esa hierba mala puede ser gente inocente; no les puedes imputar a ellos los errores del pasado: son de todos, son de nadie. En este país, además, la mayoría no escucha: o tiene miedo o es indiferente.

—No te preocupes: eliminaremos hasta a los indiferentes.

Quiso contestar esa tronante amenaza; dos o tres ideas chisporrotearon en su mente fatigada, pero sintió la boca pastosa, rajada y prefirió callarse. ¿Había estado gritando? No podía calcular su propia indignación. Le pareció que, al hablar, el otro se había ido calmando, como si él le hubiese brindado una oportunidad más para recitar sus letanías, aprovechándolo a él como una pared en la que hacía rebotar su pelota retórica. Un secuestrado, un acusado era aquí meramente un cadáver futuro; él se había brindado al otro como un interlocutor válido. El camarada Abel debía estar satisfecho. Se tocó la frente con los bordes de las manos esposadas; estaba bañada en sudor. ¿Por qué había estado tan interesado en dialogar con el jefe de sus verdugos? ¿Con qué secreta esperanza? Buscó en lo más profundo de sí y se sintió vacío. Defender un principio le parecía ahora insuficiente. Se dijo: "Por el placer incomparable de discrepar, de saber que estoy defendiendo, ya que no mi vida, por lo menos mi verdad." Este matiz —mi verdad— lo hizo sentir más razonable, aunque sabía que la suya era una causa perdida. Oyó la pesada respiración del otro y le pareció que estaba bebiendo agua de un vaso.

—¿Algo más? —dijo la voz, ahora envolviendo su frialdad aborrecible en una inflexión que fingía amabilidad—. El resto del tribunal debe estar listo para retornar con tu sentencia.

—Sí —dijo lentamente él, sin saber bien qué iba a preguntar—. ¿Está mi familia segura?

—Tu mujer y tu hijo están en casa, colaborando con nosotros.

—¿Colaborando? —dijo él, auténticamente alarmado.

—Han recibido tu carta. Están actuando tal como habíamos previsto. También la policía y el ejército: ninguno tiene la más puta idea de dónde estás.

Sintió que algo estaba a punto de quebrarse en él; luchó con desesperación contra su propia debilidad: creyó que perdía el equilibro, que se iba a caer. ¿Notaría el otro su temblor, su terror? La idea de que su familia fuese utilizada como el punto más débil de la cadena de resistencia contra el pánico desatado por su desaparición, era algo que casi no podía concebir sin destruirse. ¿Estarían todavía gestionando su rescate, negociándolo con el gobierno y algún testaferro "legal" de los terroristas? Naturalmente, quería vivir, quería volver a verlos y abrazarlos, pero no quería esa vida comprada por una cifra con muchos ceros y arreglada entre bambalinas: sería otra condena. El que rescatarían tendría su cara y su nombre, pero sería un zombie, un fantasma para el resto de sus días. Sencillamente, uno no puede aceptar *comprar* su propia vida... Sintió el frío del sudor secándosele en la frente. El camarada Abel había sido para él un delincuente político, un fanático sombrío, ahora le parecía además un pequeño canalla, un vulgar chantajista. Preguntó, angustiosamente:

—¿Cuántos millones has pedido?

—Doce. Aparte de la liberación de los 136 camaradas presos.

—Resulta más barato matarme —dijo en voz muy suave, tratando seriamente de convencerlo; rogó—: Quisiera oír la sentencia.

El otro se quedó un rato en silencio, gozando su triunfo. Luego dijo con calmada delectación:

—Antes de eso, déjame decirte una sola cosa más. Te doy una lección para que la tengas presente el último minuto: salvo el poder, todo es ilusorio. Ese sí es para mí un principio absoluto y estoy dispuesto a morir por él. Yo soy ahora el poder y tú eres mi enemigo, el enemigo del único poder real: el de la acción armada. Tú careces de él. Por eso, en esta vuelta, has perdido. Y tus grandes ideas no son sino mierda, polvo en los zapatos con los que marcho hacia la victoria total. Vivo o muerto, tú ya no existes. Esta es mi acusación final.

La profecía le resultó dura pero aceptable: en el mundo vago y flotante en el que había estado viviendo estos "días", cualquier certeza era apetecible. Pero en cambio tuvo una gran sorpresa cuando el tribunal, a través de la misma voz desvaída e impersonal que ya lo había lanzado al abismo de la nada, declaró que su previsible sentencia de muerte "por crímenes contra la patria leninista", quedaba en suspenso por una semana. No era una muestra de sadismo, sino de benevolencia: habían extendido su ultimátum porque el gobierno había hecho una concesión preliminar, liberando 27 detenidos. Una semana, pensó él, era mucho tiempo de agonía, pero al menos era un tiempo definido y sin prórrogas. Los contaría como preciosas gotas de agua en el desierto.

La idea de que el gobierno estuviese dando tales muestras de debilidad como para hacer eso, lo deprimía más que la espera. La precisa regla de no negociación que él tan costosamente había establecido como condición para presidir el Consejo, estaba resquebrajándose bajo su propio peso; la ironía del caso era tan dolorosamente evidente para él como la siniestra trampa que implicaba. Todos —los terroristas, el gobierno, quizá hasta su propia familia— estaban actuando (o pretendían hacerlo) como si él tuviese una salida: alguien iba a quedar estafado al final. ¿Cómo poder hacérselo saber a los que se preocupaban por él? Se imaginaba su casa rodeada de carros policiales, los periodistas montando guardia, esperando hasta a la mujer de la limpieza para entrevistarla y ofrecer "una visión desde dentro del hogar de la víctima", las cámaras siguiendo las entradas y salidas de Ursula. La vulgaridad de la escena lo repugnó: encima de todo había que sufrir también eso.. ¿Estaría Daniel yendo al colegio normalmente? ¿Lo seguirían los detectives encargados de la investigación? Pobre Daniel, pensó, él le había dado tan poco de su tiempo, siempre atascado en reuniones políticas, en sesiones secretas, en diligencias en la casa privada del Presidente, en la redacción de los textos que luego otros rechazaban o corregían interminablemente "porque así te entienden mejor los zorros y los corderos". El cinismo político era la moneda corriente, y mas ahora, en que la gente se asfixiaba en un medio sin alternativas que no fueran brutales o ineficaces. El camarada Abel tenía la razón en ese punto: él no había tenido nunca el poder, pero había jugueteado con la idea de que podía crearlo a partir de diálogos, textos, acuerdos razonables. Su error consistía en tener un concepto literario del poder: se había equivocado por completo de ocupación o le había dado un nombre equívoco, como esos vendedores a domicilio que se llaman a sí mismos "representantes exclusivos". ¿A quién representaba él? A nadie realmente, ni siquiera a él mismo; con vergüenza, recordó las veces que había tenido que doblegarse ante la realidad de los hechos y decir, disimulando con un aire resignado su profunda decepción: "Bueno, pero...." *Bueno, pero* era el verdadero nombre de su oficio, y también del país.

Un "día" en que, como un milagro, una franja de sol se coló por la rendija del baño y fue a dar a sus pies como un objeto sólido y caliente, pensó con increíble ardor en Ursula. En su encierro, como una señal de su total pérdida de intimidad, no había sentido el menor efecto de su forzada abstinencia sexual: en todo sentido esto era la cárcel, una esclavitud embrutecedora de los sentidos. Su mente funcionaba en un vacío despojado de sensualidad; la imagen de la increíble mujer del Mercedes había vuelto quizá un par de veces, pero no era un recuerdo bienvenido: en su situación, ese chorro absurdo de furor físico era humillante, como si esa mujer lo insultase con el lujo de su piel y sus vestidos, reprochándole su presente abyección. Pero ahora fue su propio cuerpo, no su mente, el que recordó el cuerpo de Ursula, el que ella le había dado al mismo tiempo que recibía el suyo, como si antes lo hubiese perdido, en un ejemplo perfecto de gratificación y retribución. Vio radiantemente los finos pero esponjosos muslos de Ursula, abriéndose ante él como un espectáculo hipnótico, para ofrecerle gustosamente el secreto perfume guardado bajo el pubis. El erotismo de su mujer era una irresistible mezcla de cálculo y candor. Le hacía bien y le hacía mal a la vez, como una droga engañosa; pensó que él podía matar a alguien por esa droga. Su violencia era distinta de la del camarada Abel, pero violencia al fin... Tuvo la sensación impecable de que estaba a punto de hacer el amor con Ursula, iniciando apenas la larga ceremonia, besando el apretado musgo que luego penetraría, como asaltándola indefensa tras haber caído en la emboscada de las piernas laxas y desplegadas sobre él, ahora diligentemente inclinado en su morosa tarea de lamer la suave herida, el estuche rosado y semiabierto, el higo maduro y reventado mostrando sus estambres y sus gomosos filamentos para él, sólo para él. De pronto, sus manos unidas y apoyadas sobre las piernas, percibieron la hinchazón de su sexo bajo el pantalón desteñido y mal lavado. Miró a Víctor para ver si lo observaba, pero la cara porcina estaba como ausente de todo, luchando por combatir el aburrimiento que le abría los labios de salchicha en amplios bostezos, y por no soltar la metralleta acunada entre las rodillas, mientras se pellizcaba los rojos puntos del acné. Estaba solo, gozando a su mujer debajo de él, en completa privacidad. Con los nudillos se tocó el sexo ardiente a través del pantalón. Justo antes de que ella, abrumada y sofocada por el vivo placer, el pelo revuelto como una Medusa febril y benéfica, hiciese la acostumbrada señal de extrema urgencia física por él —el brazo cruzado sobre sus ojos, como no queriendo ver qué estaba haciendo, qué estaba obligándolo dulcemente a hacer—, le dijo a Ursula: "Aun en la intimidad, eres extraña". No supo del todo por qué lo había dicho, ni por qué en ese preciso momento, pero el eco o el recuerdo de su propia voz diciéndolo bastó para bajar un telón sobre la escena y para que la realidad se le mostrase desnuda: él y Víctor vigilándolo en la cueva sin tiempo, bajo la luz espectral e interminable del tubo fluorescente mal colgado del techo. El bulto entre sus piernas cedió, la fiebre latiendo en sus sienes se diluyó y otra vez fue el limbo impersonal y callado, salvo por el goteo y el periódico canturreo de la mujer haciendo sus labores en algún lado. Pensó, con gratitud, que debía escribir una carta de despedida para Ursula y Daniel, y pedirle al camarada Abel, como última gracia, que la hiciese llegar a sus manos. De inmediato se dio cuenta de que era absurdo: aun si la entregaba, esa carta pasaría antes por muchas manos, que harían mofa de cada línea. Quizá entonces una carta menos personal... Su ansia de comunicación era inmensa, insoportable. Finalmente lo desechó del todo: dejar una carta en poder del camarada Abel y los suyos, era como confiar un secreto a un reportero venal. Se resignó al silencio, que puede decir tántas cosas.

El plazo corrió con una lentitud aplastante. Cada "día" parecía durar dos, tal vez porque ahora dormía menos y casi no soñaba nada; la vigilia se parecía a las "noches" y le parecía estar constantemente despertando. Pero eso mismo le exigía no perder la cuenta, de tal modo que sufrió un sobresalto cuando al quinto "día" todo cambió por completo para él. El lugar se convirtió en un centro de actividad frenético, que sus propios captores no lograban controlar del todo. Por segunda vez, tuvo a los dos centinelas simultáneamente; conoció a cuatro más en un corto período de tiempo; a través de las paredes oyó gritos dados a Víctor (y se alegró) seguidos por sus flemosas palabras de protesta y relacionó eso con el hecho de haber estado insólitamente un buen rato a solas, sin vigilancia visible. Muchas órdenes contradictorias debían estarse dando al mismo tiempo. Escuchó también que alguien hablaba por teléfono, muy cerca de allí, pero lo asombroso era que la llamada sonaba como de negocios, con mención de paquetes de mercadería y de fletes marítimos, aunque tal vez se tratase de una clave. Casi no pudo creerlo cuando uno de los nuevos centinelas —un muchacho, casi un adolescente, no muy seguro en su cargo, vestido con un comando evidentemente demasiado grande para él— le preguntó, igual que el camarada Abel en el primer encuentro, si se sentía bien. El no contestó, lo que produjo en el centinela mayor nerviosismo; el prisionero parecía él, no el otro. Al muchacho le faltaban meses de entrenamiento.

Algo tenía que estar pasando *fuera*, en el mundo real. ¿Estaban recibiendo noticias de que el rescate había sido aceptado? ¿Iban a soltarlo en cuanto toda la confusión cesase? ¿O habían decidido adelantar la sentencia y ejecutarlo de todos modos para salir de algún aprieto? ¿Habría dado la policía, por ventura, con algún dato que la guiase a donde él estaba? Cada pregunta se encendía en su mente como un letrero luminoso, borrando las otras, pero luego se apagaba en un laberinto de hipótesis a medio construir; su deber era el de ser paciente, el de asumir el papel que otros dictaban para él.

De pronto, dejó de ser el testigo pasivo de la actividad que bullía por todas partes, para ser el actor principal, aunque silencioso. Siempre esposado, Willy y uno de los nuevos vigilantes lo tuvieron de pie, tomado de los brazos, por casi media hora; en ese lapso hubo dos órdenes clarísimas de que debían sacarlo de allí, que luego fueron suspendidas. Le pusieron y le quitaron la venda de los ojos varias veces. La orden de sacarlo vino de nuevo y esta vez se cumplió. En esa atmósfera de tensión cruda y de movimientos eléctricos, a los centinelas se les olvidó volverle a poner la venda y eso le permitió ver, comprender muchas cosas.

Apenas cruzó la puerta de salida del cuartucho que había ocupado tanto tiempo, tuvo una sensación de desencanto, de decepcionante revelación, como si le permitiesen ver los fáciles trucos con los que se ha realizado una película emocionante. La pieza en que había estado no era una pieza: era una especie de cubículo o escenario creado dentro de la verdadera pieza, para la que se habían utilizado dos paredes sólidas y dos tabiques que, ahora él veía, eran tan frágiles como decorados teatrales. Si él lo hubiese sabido, habría podido echarlos abajo con un poco de presión de sus hombros... En la pieza real no había un solo signo o imagen de carácter político. Era una pieza modesta, pero limpia, con algo de oficina anticuada, con altas máquinas de escribir cubiertas con fundas negras y escritorios de madera. Un calendario, con una chica luciendo el trasero semicubierto por la ropa de baño, mostraba el mes y el día, éste señalado por un cuadrado magnético de color rojo: *Junio 21.* El dato le pareció precioso; hizo rápidamente la operación de sumar retrocediendo hasta la fecha en que fue capturado y obtuvo una cifra que consideró bastante exacta: 45 días de encierro. Saberlo le produjo una secreta alegría, como si fuese el número con el que fuese a obtener un regalo. Pero no había regalo: el tiempo recobrado no le servía para nada, era definitivamente demasiado tarde. Descubrió, reconcilió más cosas: allí estaba el viejo teléfono que seguramente había sido usado en las negociaciones (pero, ¿por qué sólo lo había escuchado funcionar una vez?); el techo de la pieza real tenía otro tubo fluorescente que hacía pareja con el suyo, lo que explicaba la posición descentrada de éste; por la larga ventana con marco de madera lleno de peladuras y raspones uno veía la estrecha calle vacía del costado y, casi al alcance de la mano, la masa opaca del edificio de departamentos situado justo al frente de esta pieza, donde podía ver con precisión un living con muebles floreados y, al lado, la cocinita en la que una mujer se afanaba sobre las ollas. Estaba de espaldas, pero un instante después se volvió y él miró la cara oscura y su pelo desgreñado; los ojos de la mujer recorrieron indiferentes la pieza en la que él estaba. Por cierto, ella no podía notar nada extraño; debía pensar que los tabiques eran una adición a la oficina que ella sólo podía ver parcialmente, con un ángulo bloqueado por un gabinete para que los vigilantes pudiesen entrar y salir sin ser observados. ¿O ella sabía? ¿Las grasientas sopas eran obra de sus manos? Imposible saberlo, pero al menos esta inesperada visión del mundo exterior desmontaba ante él el funcionamiento de los mecanismos que habían regido su vida por 45 días, ahora tan reales como esta oficina cuya grisura totalmente olvidable era un perfecto camuflaje. Alternativamente a empellones y con manos cuidadosas, fue guiado hacia una escalera de servicio, que descendió con prisa, rodeado de cuerpos calientes, y luego hubo un ruido de tráfico cercano, de un auto que arrancaba forzando el motor, pero él ya no pudo ver nada más porque una mano colérica, que maldecía al imbécil que se había olvidado de hacerlo antes, le puso otra vez la venda, tan ajustada que le cortaba la piel de las cejas.

Fue subido a un auto y, a toda velocidad (su cuerpo se bamboleaba contra el de los otros a cada curva), fue conducido por calles y sitios de los cuales él sólo pudo percibir olores —a curtiembres, a comida barata— y sonidos: máquinas rompiendo el pavimento, bocinas atronando el aire, muchachos que voceaban diarios. El auto se detuvo en alguna parte y permaneció quieto en un lugar tan silencioso que él sospechó estaba en un garaje subterráneo; los cuerpos a su alrededor sudaban un sudor avinagrado, de camisas y pies mal lavados; al respirar, el hombre a su derecha le echaba un aliento que olía a cebollas hervidas, a aceite rancio. En ese breve período de calmada espera, él reflexionó si éstos eran los últimos momentos de su vida o los últimos de su encierro. ¿Le pegarían un tiro a sangre fría o lo dejarían suelto por algún lado antes de telefonear a las autoridades: "El prisionero ha sido liberado. Se encuentra en...?" No sabía si debía alegrarse o perder las esperanzas. Su corazón golpeaba fuerte, pero él no pudo adivinar por cuál de las dos razones. Estaba como separado de su propio destino, contemplándolo a la distancia como si otro, no él, lo viviese; el mundo volvía a desprenderse oscuramente de él, como protegiéndolo con gruesas paredes de corcho: no sentía nada específico, no podía formular un pensamiento completo; mejor dicho: ya no estaba interesado en formularlo. Una fatiga monumental lo dominaba; bajó la cabeza, vencido por la confusión, la falta de sueño, el horror, la derrota, la suciedad, la lejanía, el peso de sus años, la soledad de su mujer y de su hijo, el olor nocturno y el color casi nacarado de la mujer del Mercedes, los abultados pero inservibles archivos del Consejo, el aire podrido de la ciudad, las siniestras costumbres de sus gentes, sus lagunas de olvido colectivo y las llagas abiertas de su historia, las horas de gestiones inútiles en casa de los poderosos y de los humildes, el resentimiento de los que se habían ido para siempre, el amor de los suyos, las largas amanecidas discutiendo a gritos por una coma en una habitación llena de humo y las lentas siestas de verano en la cama con la aterciopelada grupa de Ursula sobre su pecho y los dedos de él enredados en los espesos rulos de su pubis, la invisible cara de Abel y la conocida de Caín y su propia cara que ahora veía ante sí como reflejada en un espejo opaco y cubierto de lágrimas o gotas de sudor que manaban del otro rostro pero caían sobre el suyo.

El viaje continuó poco después; el último trecho fue relativamente corto y menos accidentado; ahora debían estar yendo por una ruta casi rectilínea, sin paradas ni bruscas aceleraciones. El auto se detuvo finalmente; nadie se movió alrededor suyo y sintió que las manos de los que iban a su lado lo aferraban en una espera tensa para todos. Las puertas se abrieron y él pisó un terreno arenoso, fofo. Un viento frescó sopló sobre su cara y se llevó de sus narices el hedor que había soportado a lo largo del viaje. Sintió que alguien le removía la venda. Una luz brutal estalló en sus ojos; los apretó y pestañeó varias veces tratando de ver entre las cuchillitas que le atravesaban las pupilas irritadas. Le dejaron puestas las esposas. Vio a los tres hombres armados que lo rodeaban: uno era Víctor, el otro era el "médico" (reconoció la cara de músculos fosilizados y la corta escobilla de cerdas que hacía de bigote); el tercero era completamente nuevo para él y no sólo era el de mayor edad de todos los que había conocido, sino que estaba vestido con cuello y corbata, pero sin saco, como disfrazado de alguien insospechable. Mientras Víctor hablaba rápidamente con el desconocido, notó que la mano del "médico" tocaba la suya y le pasaba disimuladamente un pequeño objeto —¿una herramienta, una llave?— que él recibió y escondió por instinto. El camarada Víctor se volvió y le dijo:

—Vamos, ya: véte. Camina y no vuelvas la vista atrás.

El se quedó parado, como si no entendiese. Víctor se irritó y levantó la metralleta. La amenaza era insensata: ¿lo baleaba ahora sólo para no balearlo después?

—¡Muévete, carajo! ¡Mueve las patas!

Se echó a andar obedientemente en la dirección que le señalaba con la punta de la metralleta. A sus espaldas, oyó el motor de un auto, pero no estaba seguro si eran ellos partiendo o el simple ruido de la carretera. El espacio delante de sí era amplio; cada vez avanzaba con más firmeza, hundiendo los pies en el polvo arenoso del terreno. Súbitamente, se olvidó de los 45 días de encierro, de sus manos esposadas y de la amenaza de los tres hombres aguardando quizá detrás de él o siguiéndolo de cerca, y percibió algo que le habían negado por tanto tiempo: la impresionante belleza del mundo y la libertad de que ahora disponía para gozarla. Aspiró el aire en grandes bocanadas, hinchando golosamente sus pulmones exhaustos. Era una gran extensión abierta que, a juzgar por la arenilla, debía estar relativamente cerca del mar. Algún equipo de ingenieros había plantado allí un cartel y había dejado unos hitos con rayas y números; el cartel anunciaba un futuro parque infantil. Un pasto salvaje, intensamente verde, había cubierto parte de la extensión. Pero el terreno estaba todavía sin nivelar: sus pies descubrieron que, cada cierto trecho, la superficie ondulaba en hondonadas siempre más profundas, como si aquí hubiesen corrido canales de regadío o éste fuese el lecho de un río, quizá un brazo de mar. Empezó a deslizarse por una hondonada que le pareció casi vertical y se enterró hasta los tobillos en la tierra floja y recalentada por el sol. Luego volvió a emerger. La luz brillaba con un vigor peculiar; unas escasas nubes gordas, como pintadas por un artista ingenuo, viajaban en lo alto del cielo. El espacio parecía ilimitado. Se acordó de que estaba aferrando el objeto que le había dado el "médico". Dificultosamente, lo miró entre las manos esposadas a su espalda. No creyó lo que veía: era una pequeña cruz, muy rústicamente hecha. Ese hombre, ¿era un creyente? ¿Quería reconfortarlo en sus últimos minutos? Arrojó la cruz porque se le escapaba toda significación posible de ese objeto en sus manos; vio que se enterraba en el polvo bajo sus pies. Siguió adelante, con la curiosidad de un explorador. En ese instante oyó como un corto tableteo lejano y el eco de las balas reventando como alegres cohetes; con un vivo instinto, se tiró contra el repecho de la hondonada; rodó hasta el fondo, magullándose contra unos arbustos. Luego, silencio absoluto. Al levantarse, vio que sangraba un poco. Como no podía tocarse, no sabía si era del golpe al caer contra los arbustos, o quizá... En todo caso, aún respiraba, no sentía que estuviese perdiendo fuerzas. Esperó un minuto más y se irguió apoyando primero los hombros en la tierra; las esposas maltrataban sus muñecas dolorosamente. Pero cuando estuvo de pie, ya no dudó: se echó a correr a grandes trancos, rodando a veces en las hondonadas, pero volviendo a levantarse. No sabía si corría en la dirección correcta, pero corría y corría bien, con buen ritmo, pese a los zapatos sin cordones y a las manos muertas en la espalda que empezaban a percibir una humedad, algo raro en la espalda. No hizo caso: corría ahora a mayor velocidad. Al salir de una nueva hondonada, un asombroso escenario se abrió ante sus ojos: allá, al fondo, entre el vaho de la resolana, divisó lo que parecía un pequeño y tranquilo barrio, no muy animado pero con aislados grupos de gente caminando, montando bicicleta. Se dirigió hacia ellos. Gritó o quiso gritar, pero creyó notar que en el viento su voz se perdía por completo, que nadie iba a darse cuenta de él hasta que estuviese más cerca de las casas y las tiendas con sus toldos verdes. Prefirió concentrar sus esfuerzos en su propia carrera. Al pisar una piedra, un tobillo se le dobló y rodó al suelo con un penetrante aguijón que le subía por la pierna. Esperó un rato, resoplando pesadamente, babeando saliva con sangre y tierra. Empezaba a devorarlo la sed; al mismo tiempo, paradójicamente, sentía unas terribles ganas de orinar. El sol pegaba con fuerza sobre su cabeza; sintió que le hervía y que su corazón golpeaba con angustia, mandando corrientes eléctricas a su tobillo hinchado, sus hombros, sus muñecas magulladas. Cuando se levantó, el barrio había desaparecido, quizá tras una hondonada que su vista ya no percibía. Miró en la dirección opuesta y creyó distinguir, un poco más lejos, otro barrio que parecía una duplicación del primero. No sabía qué dirección seguir; no sabía si tenía fuerzas para llegar a ese lugar. ¿O estaba tal vez dando vueltas en redondo y regresando donde estaban sus captores? Miró el sol buscando una orientación; pero era el mediodía y el sol mandaba sólo mezquinas sombras verticales. ¿De qué lado estaba el mar? Quería mojarse en el mar... Avanzó rengueando, tratando de poner en orden sus ideas. La belleza del lugar le pareció feroz, implacable, impropia para un hombre en su estado. Tenía los zapatos llenos de arena y eso hacía más penosa la marcha. No cedió, sin embargo. Algo creyó reconocer poco después: la camioneta verde con la que lo emboscaron 45 días antes estaba allí, pudriéndose bajo el sol, con una llanta reventada y una puerta abierta, haciendo sonar sus goznes cuando la golpeaba el viento. Pero luego se dio cuenta de que se estaba acercando a lo que podía ser un cementerio de automóviles; lo más raro era que habían grupos de personas dando vueltas al inmenso montón de chatarra. Su mirada encontró, como una piedra preciosa en medio de un basural, el Mercedes azul metálico que sólo había visto una vez. El auto estaba reluciente; los vidrios polarizados le impedían saber si ella estaba dentro o no. Más allá, descubrió a Ursula mostrándole a Daniel una moto de gran tamaño, que el muchacho tocaba con una especie de respeto. Al costado vio un nido de autos policiales, con las luces encendidas, las armas vigilantes, esperando algo, y un poco más lejos, su propio auto, intacto. Pensó: "Estoy libre. Puedo escapar". Pero no sabía de qué lado del tiempo estaba: si antes o después. Pensó: "Esto no puede ser. Estoy muy fatigado, no entiendo nada". Y decidió entonces tirarse un rato en el suelo, a descansar sus músculos trizados, y no levantarse hasta que realmente supiese que era capaz de seguir su camino ya sin confusiones posibles, como un hombre que sabe al fin quién es y a qué va a dedicar su vida en adelante.